松本町緑地にある鶴の彫刻

夜明け頃の東松山駅東口

駅東口ペデストリアンデッキから東側を望む（夜明け前）

大岡地区にある農林公園（再整備前）

一九八六年に改築された高坂駅舎

唐子地区の都幾川に架かる鞍掛橋（整備前）

# 平成の東松山市史

三人の市長の下で過ごした
職員の記憶と記録

西澤 誠
Makoto Nishizawa

もくじ

## Ⅱ　坂本市政——45

# はじめに

一九八三（昭和五十八）年四月一日、私は大学卒業と同時に地元の埼玉県東松山市役所へ奉職しました。以来三十八年間、日数にしますと一万三，八七九日、一人の職員として、同時に一人の市民として、東松山市の水を飲み、東松山市で寝起きし、何の変哲もない日常を肌で感じながら歳月を重ねてきました。しかし、振り返れば、この間、様々な出来事が東松山市内で起き、気が付けば市の様相も大きく変化しました。

この「激動」ともいえる三十八年間のうち、平成の三十年余りの歳月は、私が東松山市役所職員として過ごしてきた時間と全て重なり合います。一万三，八七九日のうち、一万一，〇七一日、約八割の日数を平成という時代とともに過ごしてきた計算になります。

平成の時代を東松山市役所内部で過ごしてきた実体験者として、また、自らの人生を自治体職員として捧げてきた証として、東松山市での三十年余りの出来事を書き記しておこうと思い、ペンを執った次第です。市役所職員でありながら、同じ市内で生活する市民であるということは、行政の仕事と市民ニーズという、時には相反する双方の立場に同時に立ちながら毎日を過ごすことでもありました。市役所職員である立場と市民であるという立場との狭間で悩み、葛藤する日々を幾度となく味わい、時には、眠れない日々を送り続けたこともありました。

そんな時は、常に「自分は東松山市役所の職員である」と自らに言い聞かせ、市民として言いたいことは極力控えてきたというのが本音です。

しかし、職員という肩書きに別れを告げ、一人の市民に戻る今、東松山市の未来のために、自分の思うことを書き綴っていこうと思います。

平成という時代の三十年余りの間、東松山市長は、芝﨑亨氏から坂本祐之輔氏へ、そして、坂本祐之輔氏から森田光一氏へと三代にわたって引き継がれてきました。

芝﨑氏は、一九七四（昭和四十九）年から一九九四（平成六）年までの五期二十年間、昭和から続く平成黎明期の市政を担い、二十一世紀を見据えながら次代にバトンを継ぎました。

坂本氏は、一九九四（平成六）年から二〇一〇（平成二十二）年までの四期十六年間、平成中期の市政を牽引し、二十世紀から二十一世紀へと世紀を跨いで、福祉と環境のまちづくりに取り組みました。

そして、森田氏は、「元気創造」の旗印のもと、二〇一〇（平成二十二）年から平成の締めくくりを担い、三期目を迎え、現在に至っています。

平成という時代に限って言いますと、芝﨑氏が約五年半、坂本氏が十六年、そして、森田氏が約九年、市長として東松山市を牽引してきたことになります。

この平成年間の三市長は、それぞれ、自らの政治信条や世相を見抜く慧眼と判断力に基づいて、まちづくりに取り組んできました。

私は、この三人の市長の取り組みを中心に、東松山市における「平成」という時代の三十年余りにスポットを当て、自らの自治体職員として歩んだ人生と東松山市の変遷を振り返ってみようと思います。

本書の構成は、まず、三人それぞれの市長ごとに、その時代を私の拙い記憶と手持ちの記録に基づいて総括してみました。したがって、三市長の時代の概要は、ここに目を通していただければ掴むことができると思います。

概要に続いて、年度ごとに市の三役、市議会議長名等に加え、人口、予算額等を表記するとともに、主な出来事を時系列で列記しました。年度ごとの詳細は、この年表のページをご覧ください。主な出来事の内容は、市内での出来事が中心ですが、国内外の大きな出来事も、個人的な感覚に基づいて加筆してみました。最下部には、その年度での私の在職年数と所属・役職を記してあります。また、年度ごとの出来事の合間に、「随想録」という形で、自らの思い出話を挿入させていただきました。

平成という三十年余りの時代の東松山での出来事を、可能な限り公平・公正に、かつ客観的に捉えたつもりです。しかしながら、実体験に基づいた偏った記述や当時の感情、私的な見解が随所に出現していることと思います。これもひとえに、希望に満ちた東松山市の将来を願う私の素直な思いからです。それゆえ、違和感を覚える箇所もあろうかと思いますが、切にお許しいただければ幸いです。

# Ⅰ　芝崎市政

東松山市総合会館

# 一　平成の幕開け

## (一) 平成元年の東松山

昭和という高度経済成長期の後に訪れた平成という時代。平成元年当時の東松山市の街並みはどんなものだったでしょうか…。

私の拙い記憶と古い地図を頼りに、当時の街の様子の一部を、私の脳裏に浮かべたドローンで映し出してみようと思います。

東松山駅の改札口付近は現在とほとんど変わらず、改札口を出て左へ向かうと東口へ、右へ向かうと西口へと通じる通路があります。

まずは、左に折れて東口へ向かってみましょう。通路の突き当りには、左へ下る階段があります。北へ向かって階段を降りますと、右手にはラーメン店とハンバーガー店があります。左手には、ドラッグストア、写真店、フライドチキンのチェーン店、そば屋などが並んでいます。

駅前の情景に目を向けますと、車が行き来できる広場が目に入ります。東口広場です。ロータリーなどはなく、広いスペースがあるだけです。そこには、東松山駅のシンボルともいえる赤い大きな鳥居が東西を向いて聳え立っています。

当時は、東松山と言えば、赤い大きな鳥居のあるまちとして有名でした。人も車も、駅構内へは、この鳥居をくぐって出入りしています。

赤鳥居の南にはタクシー乗り場があります。タクシー乗り場の先には、割烹料理店「駅坂」の看板が見えます。タクシーは、駅構内に島のように建っている「駅坂」の建物の周りを、右回りに旋回して乗り場へと入ってきます。タクシーだけは、専用の入口から駅前広場へ入ってくることができ、鳥居をくぐって出ていきます。

タクシー乗り場の南には、大型の公衆電話ボックスと「さわやかさん」と呼ばれる公衆トイレがあります。この公衆トイレは、壁を隔ててラーメン店やハンバーガー店と背中合わせの位置にあります。

大鳥居の先には、東へ伸びる駅前通りがあり、ドローンの高度を上げると松山城址や吉見の百穴に連なる丘陵を望むことができます。

大鳥居をくぐり、すぐに左へ折れると、市役所へ向かう「ぼたん通り」です。

この「ぼたん通り」には、喫茶店、たばこ店、交番、菓子店の他、昔ながらのやきとり屋や飲食店が並んでいます。夕刻になると、やきとり屋の赤提灯に灯がともり、やきとりを焼く煙と香ばしい香りが、東松山のメインストリートである「ぼたん通り」に漂い始めます。

ドローンのカメラを西口に向けると、小さな広場の周辺に駐車場、自転車預かり所、喫茶店、洋菓子店、理容室、美容室、割烹料理店、薬局等が並んでいます。

## ◇一九八九（平成元）年頃の東松山駅東口ぼたん通り周辺

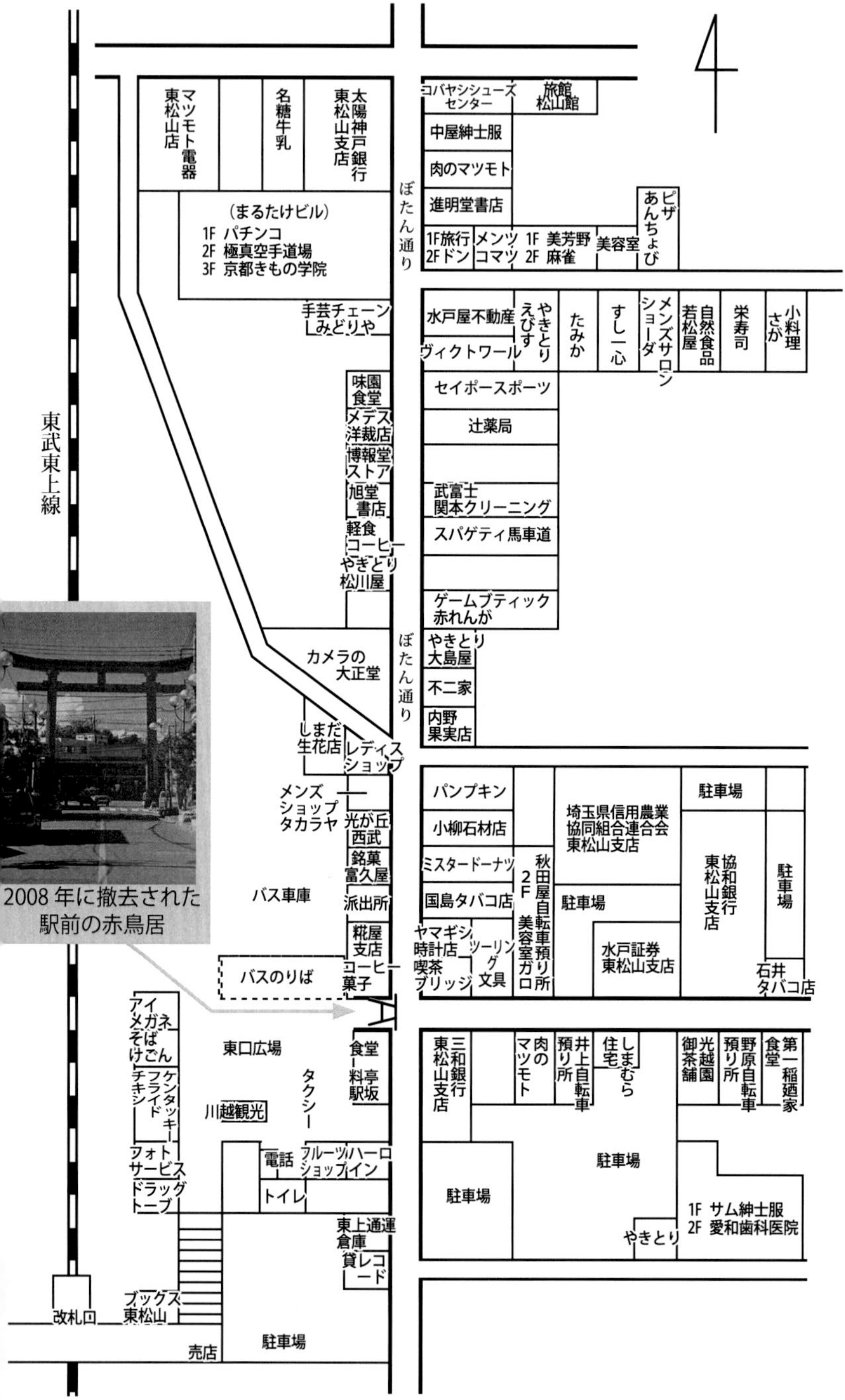


2008年に撤去された駅前の赤鳥居

一足飛びに、東松山市役所にドローンを移動させてみましょう。

市役所庁舎の西側には松山第一小学校の広い校庭が広がり、市役所と校庭はコンクリートの壁で仕切られています。現在、市役所西側の駐車場となっているところは、松山第一小学校の校庭です。市役所から松山中学校へ向かう桜並木の歩道も、当時は松山第一小学校の校庭です。

市役所の駐車場は、庁舎の南側と道を隔てた現在の総合会館の一部にあります。現在、市役所庁舎前は、東側に桜や芝が植えられ、西側は大欅を回るロータリーとなっていますが、当時は全面が駐車場として利用されています。

また、現在立体駐車場となっている場所は、大型車両の車庫や資材置き場として利用されています。

市役所周辺の街並みは、どんな様子でしょうか。

文林堂書店から東松山駅へ向かう「まるひろ通り」には、靴店、製茶店、理・美容室、電気店、時計店、スポーツ店、おもちゃ店、化粧品店、ペットショップ、寝具店、食品店、乳飲料店、文具店等が軒を連ねています。

文林堂書店から東へ向かう「材木町壱番街」には、婦人服店、理容室、履物店、菓子店、ジーンズ店、精肉店、文具店、書店、衣料品店、青果店、電気店、家具店、材木店、雑貨店、瀬戸物店、薬局、食堂等が並び、賑わいを見せています。

文林堂書店から西へ向かう「松葉町商栄会」には、靴店、ガラス店、豆腐店、種苗店、たばこ店、酒店、印刷店、荒物店、生鮮食料品店、履物店、食堂、メンズショップ、理容室、化粧品店、製氷店、和菓子店、米店、釣具店、製茶店等が並び、市民の生活を支えています。

高坂駅周辺は、どうでしょうか。

東口には、たばこ店、パチンコ店、肉店、理容室等が並んで見えます。東へ向かう道路には、パン屋、喫茶店、釣具店等が並んでいます。

昭和の終盤に供用が開始された高坂駅西口は、ほとんど手つかずの状態です。駅前のロータリー周辺は駐車場として利用され、少しずつ建物が建ち始めています。

私の脳裏のドローンは、三十数年前の街並みを、少し埃の被ったレンズで映し出してくれました。決して鮮明ではありませんが、平成黎明期の街の様相を映し出すことで、当時の街の空気を思い起こし、そこに生きる人たちの暮らしぶりと、今とを比較することができるのではないでしょうか。

令和の時代となった現在とは、街の雰囲気や街並み、そこで暮らす人々の様相がかなり違っています。平成元年の東松山の街には、今よりもずっと活気がありました。人々が生活している匂いが漂っていました。

それは、そこに生きる人々の年齢構成に、大きく起因しているように思います。（巻末資料②人口ピラミッド参照）

## (二) 黎明期の平成

芝﨑市政における平成の時代は、僅か五年半余りに過ぎません。しかし、五期二十年にわたる芝﨑市政の終盤を締めくくった平成年間は、昭和という時代に積み上げたまちづくりの集大成の年間であると言っても過言ではありません。

平成元年である一九八九年には、大岡コミュニティセンター、松山第一小学校校舎を完成させると、翌一九九〇（平成二）年には、市立図書館、野田ぼたん公園（現在の東松山ぼたん園）を相次いでオープンさせました。

更に、一九九一（平成三）年から市長を引退する一九九四（平成六）年までの間に、緑山小学校（現在は廃校）、唐子コミュニティセンター、高坂丘陵地区センター（現在の高坂丘陵市民活動センター）、総合会館、高坂図書館、物見山公園等を相次いで開設、整備しました。

この間、一九九一（平成三）年には、高坂駅西口の土地区画整理事業も竣工を迎え、それまで改札口もなく農地が広がっていた高坂駅の西側には改札口ができ、急速に商業施設地や宅地が造成されました。

また、東松山地区消防組合の施設として、一九八九（平成元）年に消防署北分署が、一九九二（平成四）年には消防署高坂分署が配備されました。更に、埼玉県の施設としては、一九九三（平成五）年八月に平和資料館が開館しました。

こうしてみると、ハード面ばかりが目に付きます。しかし、それは私がスポットを当てた平成年間、つまり芝﨑市政後期であって、前期・中期に当たる昭和期にはむしろソフト事業の方が実績としては目立つように思います。

数例を挙げてみましょう。

芝﨑氏は、市長就任直後の一九七四（昭和四十九）年に、千葉県松戸市の「すぐやる課」を手本に、呼べば応える「やまびこ課」を設置し、市民の要望にすぐに対応できるよう組織を再編しました。

翌一九七五（昭和五十）年三月には、市内に赤痢が発生し、東松山市民約八百人が集団感染する事態となりました。中学校の体育館も緊急の隔離病棟とされ、市内は騒然となりました。二か月後の五月に終息すると、すぐに市内外へ向けて「衛生都市」を宣言しました。

その後も、老人扶養者褒賞制度、おとしよりを敬愛する集い、単身老人の一泊旅行への招待、高齢者事業団の設立、子ども議会、婦人議会、そして、まちづくり市民委員会（通称百人委員会）等、子どもからお年寄りまで全ての市民が参加できるソフト事業を多数実施しました。

このように見てきますと、芝﨑市政下においては、ソフト・ハード両面においてバランスのとれた施策が展開されていたように映ります。

## 二　人を育てる…

### (一) 人件費抑制のための職員採用と人材育成

芝﨑市政の時代は、日本全体が右肩上がりの時代であり、財政面でも余裕のある時代でした。そんな時代にあって、芝﨑氏の慧眼、卓見が光るのが人事政策だと私は思います。

それまで毎年続けていた職員採用を、一九八一（昭和五十六）年、一九八二（昭和五十七）年と二年連続で見送ったのに続き、一九八四（昭和五十九）年、一九八五（昭和六十）年にも二年連続で見送りました。更に、一九八七（昭和六十二）年から一九八九（平成元）年までは三年間、職員採用を見送りました。実に、十年間で三回しか職員の採用を行わなかったのです。

一見、大胆な人事政策に映りますが、これは、バブル景気に伴い近い将来予見される人件費の急増に対処するための人件費抑制策でした。これにより、職員の年齢層に空白が生まれました。しかし、それだけに芝﨑市長は、人を育てることに重点を置きました。少ないながらも職員個々の能力を最大限発揮させる人材育成に心血を注いだのです。人件費の抑制を推進すると同時に「人を育てる」人事を実践した芝﨑市長に、私はその慧眼・卓見を感じるのです。

私は、この職員採用の非常に少なかった時代の一九八三（昭和五十八）年に採用されました。私を含むこの世代の職員層の薄さが平成の終盤になって表出すると、「人事政策上の大失敗」などと、公然と当時の人事政策を批判する声が市の幹部や職員から挙がりました。

しかし、芝﨑市長にとって、こうした批判は「想定内」のことであり、それ故、バラツキや空白のある年齢層の職員個々の能力が最大限に発揮できるよう人材育成に取り組んだのだと思うのです。

従来の地方公務員、市役所の職員像は上司の命令に忠実に従うことのみが有能な職員像とされていました。しかし、芝﨑市長が求めた職員像は「市民のために考えて行動する職員」でした。したがって、我々の年代の職員は、「市民にとって何が必要かを考え、行動する職員」となることを求められて芝﨑市長に採用されたのでした。

芝﨑市長は、年度当初の訓示で全職員へ向けてこう述べました。

「仕事は三日で覚えなさい」

特に、人事異動となった職員や新入職員へ向けて、お願いというよりは命令口調で強く言い放たれた言葉でした。

入庁間もない頃の私は、「厳しいことを言うなあ」などと思っていました。しかし、仕事のできない職員がいる市役所では、到底「市民の役に立つ所」とは言えない、ということです。この言葉を聴いて、私は芝﨑市長の真意を十分に理解していなかった自分の存在に気付かされました。

「市民にとって何が必要かを考え、行動する職員」になるには、一日でも早く仕事をマスターする必要があるということを、芝﨑市長は「仕事は三日で覚えなさい」という言葉に集約したのでした。

平成後期になって、東松山市役所では、採用の少なかった年代の職員の世代間の穴を埋めるため、若い年齢の課長や管理職を非常に短期間で昇格・昇任させせました。

これは、芝﨑市政当時の人事政策が、単に人件費の抑制だけと喧伝され、それが、担当者に継承された結果です。先述したように芝﨑市長は、人件費の抑制と人材育成を並行して実践していたのです。この件に関しては、平成後期の「森田市政」のページで述べたいと思います。

何れにしても、芝﨑市政における人事は、人件費の抑制とともに職員の育成に力点が置かれていたということです。

それ故、私たちの世代の職員は、たくさんの研修を受講させていただき、「市民にとって何が必要かを考え、行動する職員」となるための能力を高める機会を与えていただきました。（期待通りの職員に育ったかは、市民の皆さんの判断によりますが…。）

## (二) 食堂の効用

現在、東松山市役所の地下一階には環境産業部の各課が配置されていますが、一九八九（平成元）年当時は、ここに食堂が置かれていました。この食堂は、市役所職員はもとより、近隣にお住いの市民の皆さんや市役所への来庁者、県立松山高校の生徒たちも利用していました。

食堂では、市長、助役（現副市長）、収入役（当時は特別職。現会計管理者）、教育長たち市の幹部も昼食を摂っていました。我々職員にとって、市の幹部たちと直接目に触れる距離で食事をすることは、緊張感とともに親近感を抱くことのできる貴重な時間でもありました。

今でこそ、職員は各々自由に弁当を持参したり、コンビニで買ったり、外食に出たりしていますが、当時は、多くの職員が、この地下食堂で昼食を摂っていました。

基本的に食堂は「合席」で、誰が隣や前に座るか日替わりでした。時には、市長が自ら職員と同席し、会話をしながら昼食を摂ることもありました。私も、何度か芝﨑市長の目の前で食事を摂ったことがありましたが、緊張して会話をしながら箸を運んだことを今でも鮮明に憶えています。

この歳になって振り返ってみますと、当時の市の幹部たちは、職員たちと顔を合わせ、その姿を眺め、声を聴き、職員たちから漂う雰囲気や熱気を肌で感じ取るために、食堂に足を運んでいたように思えます。少なくとも、芝﨑市長はそうであったようです。何故なら、本人の著書「赤いトマト　青いトマト」（平成六年七月一日㈱ぎょうせい発行）に、職員との昼食会を就任当初設けていた、という記述があったからです。

一方、我々職員にとっても、市の幹部や異なる部や課の職員たちと顔を合わせる機会があることで、顔や名前を憶え、親近感を深めることができました。また、幹部や職員たちが、食事をしながら会話する姿や表情を目の当たりにすることによって、市の現況を窺い知ることができたように思えます。

こうしてみると、市役所内に食堂があることの効用は、大きいものでした。同じ食堂で顔を合わせて昼食を摂る機会の有無は、市民の皆さんと職員、あるいは職員間の結びつきや人間関係、更には、市役所内の空気や職場風土に大きな影響を及ぼします。昼食の会話の時間は、異業種の職員間のコミュニケーションの場であり、貴重な情報交換の場でもありました。市役所庁舎地下にあった食堂は、その後、総合会館の地下へと移されました。

そして現在、東松山市役所には食堂がありません。平成十八年に食堂が無くされた際、私は当時の先輩職員である担当者に「再開」を訴えました。しかし、「入ってくれる業者がいない」の一点張りで突き放された寂しさを、今でも忘れることができないでいます。

私の持論として「食堂の有無が、『市・区役所』と『町・村役場』との違いだ」と、半分は冗談ですが、半分は本気で思っていました。しかし、今では「町・村役場」にも食堂がありま す。埼玉県内の市役所で食堂のない市役所は、東松山市役所ただ一つではないでしょうか。

ランチ・ミーティングという言葉がありますが、職員間のコミュニケーションの希薄化は、市役所の業務においても支障を来し、それは必ず市民の皆さんへと波及します。

コロナ禍の現在、食堂で会食することなど戯言に聴こえることは承知しています。しかし、だからこそ、コロナ禍を克服したいつの日にか、東松山市役所へ食堂が復活することを願って止みません。

## （三）まちづくりは、人づくり

芝﨑市長は、人を「育てる」ことに力を注ぎました。それは、職員に限らず、市民全てに対して共通していました。特に、未来を担う子どもたちの育成には、大きな期待感を持って臨んでいました。二〇一五（平成二十七）年十二月、東松山市出身で東京大学宇宙線研究所長の梶田隆章先生がノーベル物理学賞を受賞されました。梶田先生は、東松山市立野本小学校、南中学校の卒業生で、少年時代を東松山で過ごしていました。

梶田先生は、ノーベル物理学賞受賞が決まった直後に、少年時代を過ごした東松山への想いをこう語りました。

「東松山のゆったりした環境の中で育ったことに感謝しています」

この言葉を聴いたとき、私は、胸が熱くなるのを感じました。「芝﨑市長がこれを聴いたら、どう感じただろうか」と思わずにはいられませんでした。

「私は、将来、有望な人材が育つことを夢見ています」と、子ども議会を終えた直後に語った芝﨑市長の言葉が重なり合ったからでした。

芝﨑市政下でのまちづくりは、人づくりそのものでした。それは、芝﨑市長の信念だったように感じます。

芝﨑市長の人づくりの成果、と言ったら梶田先生には失礼かもしれませんが、東松山市から傑出した人物が出てきますと、私の脳裏には、芝﨑市長の顔が浮かんでくるのです。

# 三　赤いトマト　青いトマト

芝﨑亨氏は、一九七四（昭和四十九）年八月から一九九四（平成六）年八月まで、実に五期二十年にわたり市政を担い続けました。芝﨑氏は、市長を辞めるひと月前の七月に自叙伝的な著書を残しました。「政治こそ我が人生」とサブタイトルの付いた「赤いトマト　青いトマト」です。この著書のタイトルは、芝﨑氏自身の体験に由来しています。

芝﨑氏は、市議会議員時代を含めて十回の選挙を経験していますが、たった一度だけ負けたことがありました。それは、三十九歳の時に初めて挑戦した東松山市長選挙でした。

市長選挙に初めて立候補し、演説会で放ったのが、この「赤いトマト　青いトマト」だそうです。演説会へ行く途中、青果店で買った二つのトマトを、包んだハンカチから取り出し、

「皆さん見てください。ここに二つのトマトがあります。この赤いトマト（現職の対立候補者）は、食べ頃でとてもおいしいです。もう一つの青いトマト（新人の自分）は、これから熟すので多少の時間はかかります」

とユーモアたっぷりに論じたそうです。結果は、九，三〇三票対八，四九四票の八〇九票差での落選でした。その四年後、市長選挙を制した芝﨑氏は、四十三歳で東松山市長となりました。

若くして市長となった芝﨑氏は、当初、県議会議員、国会議員を夢見たようです（先述の「赤いトマト、青いトマト」に記されています）。しかしその後、市長という職に魅せられ、東松山市長職に一生を捧げました。

芝﨑氏の市民本位と人づくりの政治姿勢は、著書「赤いトマト　青いトマト」の中にたくさん散りばめられています。その一部をご紹介しましょう。

▽開発（都市化）は必要だが、市民のためになるものでなければならない。
▽車はガソリンで動くもの　市政は市民が動かすもの。
▽どうやったら市民の要望に応えられるかを考えることが、職員にとってたいせつだ。
▽職員は、市民の立場で市政を進めてほしい。
▽私は、（子ども議会を通して）将来、有望な人材が育つことを夢見ている。
▽市民憲章は、まちづくりの道しるべだ。
▽トップに立つものは、適材適所の人材を配置できるかどうかが仕事だ。
▽この自然林（市民の森（鳩山町との境界、大字岩殿））を、未来の東松山市民のためにとっておくことにしたい。いつか大きな価値をもつ…。
▽我々の舞台は比企広域だ。総合会館や県平和資料館の展望塔は、比企広域、比企連合都市のシンボルだ。十市町村の中核都市にふさわしい市街地を意識しよう。
▽私が市長の間、（議員の皆さんの協力のお陰で）議会が紛糾することはなかった。

▽「政治一筋」とは、多くの人の協力なしには遂行できないということだ。

芝﨑市政の終盤は強権的な言動が増え、時には傲慢・ワンマンなどと揶揄されました。しかし、その反面、一九八九（平成元）年には、四期十六年の市政運営を振り返り「反省と出発の年」と位置づけ、自戒することも怠りませんでした。最後の言葉は、芝﨑氏の政治理念である「人間尊重の政治」を端的に自身で表した言葉です。

一九九四（平成六）年、芝﨑氏は、自らが「赤いトマト」となったことを自覚して市長の職を辞しました。六十三歳でした。芝﨑氏にとって、市長という職業は正に天職だったように思えます。

市長職を辞した後の一九九七（平成九）年、芝﨑氏は東松山市の名誉市民となり、一九九九（平成十一）年に六十八歳の若さで逝去されました。

常に未来に目を向けていた政治家は、遂に、二十一世紀の東松山市の姿を見ることなく逝ってしまいました。晩年には、比企地域の中核都市として東松山市の役割を強く意識した芝﨑市長。今思いますと、その後に訪れる「平成の大合併時代」を予見し、我々に遺言として残したかのように映ります。

東松山の自然を愛し、東松山に住む人を慈しみ、人と自然の調和を重んじた芝﨑亨氏の東松山市政は、今でも随所にその痕跡を残しています。

昭和六十年にオープンした「松本町一丁目緑地」に聳え立つ羽を大きく広げた鶴の彫刻（作

者：木内克氏）は、東松山の台地の斜面から東方に広がる関東平野を眺望し、東松山市を訪れる人々を、その大きな羽で迎えるかのように配置されています。記念碑には「伸びゆく東松山」の文字が刻まれています。

私は、趣味のウォーキングでこの緑地を訪れる度に、芝崎市長が掲げた東松山の将来像である「丘陵と緑と澄み切った青空につつまれた調和ある田園都市」という言葉を思い起こし、鶴の彫刻越しに空を見上げます。すると、この記念碑に込められた故芝崎亨元市長の市政に対する熱い思いを、体全体で感じるのです。

また、鳩山町との境には、今も市民の大切な財産として保全されている「市民の森」があります。入庁間もない頃、私も森の買収に携わらせていただきました。買収メンバーの中で、私は最年少の職員でしたから、それを知る職員は一人もいなくなってしまいました…。

森に足を踏み入れると静寂の世界に包み込まれます。その静寂の中に一人身を置くと、私は、あの頃の芝崎市政の息遣いを感じずにはいられなくなります。

市民の森に漂う空気が、芝崎氏の壮大な心とシンクロナイズして私を包み込んでくれているかのような錯覚にさえ陥るのです。

芝崎亨市長は、こう言って市長職を辞しました。

「生きてよかったわが人生　住んでよかった東松山」

芝崎氏が、自らの生命をどれほど東松山市に注ぎ込んでいたかを如実に表す言葉です。

「ミスター東松山」と呼ぶに相応しい人物だと、私は今でも思っています。

市内松本町緑地にある鶴の彫刻

市内岩殿の市民の森

## ◇一九八九（平成元）年度

平成の初年は、一九八一（昭和五十六）年度から一九九五（平成七）年度までの十五年の長期間で策定された第二次東松山市総合振興計画基本構想の中期の年でした。

基本構想の中では「丘陵と緑と澄みきった青空につつまれた田園都市」をつくるために、次の五つの柱が掲げられていました。

**一　住みよい生活環境の整備**
**二　ふれあいのある市民福祉の向上**
**三　豊かな心を育む教育・文化の向上**
**四　活力のある産業の振興**
**五　行財政の効率的な運営**

市制施行三十五周年に当たるこの年、芝﨑市長は施政方針の中で四期十六年の自らの市政運営を振り返り「反省と出発の年」と位置付けました。

そして、時代の変化に柔軟かつ的確に対応し、将来を見据えた「市民本位の個性豊かなまちづくり」を市政運営の基本に据えました。

天安門事件とベルリンの壁崩壊に、世界が民主化へと向かう足音を感じました。

この年、私は在職七年目を迎え結婚しました。当時、市民課で戸籍を担当していた私は、自分の婚姻届を自分で受理しました。もちろん、形式的には同僚職員に受理してもらったわけですが、市役所職員ならではの貴重な体験でした。

## １９８９（平成元）年度

市　長：芝﨑　亨／助　役：本橋金次郎／収入役：村山　進

教育長：田口　弘

議　長：井上彰次（～6月）→根岸　洋（6月～）

副議長：富岡繁夫（～6月）→堀口　茂（6月～）

人　口：76,978人／世　帯：23,148世帯

職員数：654人（内市民病院：168人）

総予算：288億5,850万円

（一般会計予算：154億3,000万円）　※4/1現在

### ＜主な出来事＞

**1月8日**

**改元「昭和」から「平成」へ**

1月　在宅福祉サービス制度開始
2月　新明ゲートボール場オープン
3月　消防署北分署完成

**【１９８９（平成元）年度】**

4月　消費税実施（３％）
　　大岡コミュニティセンターオープン
6月　中国で天安門事件発生
9月　松山第一小学校校舎完成
１０月　ミス東松山コンテスト実施
１１月　市制施行35周年記念行事開催。ベルリンの壁崩壊
１２月　市内一周駅伝競走大会開催
1月　第66回東京～箱根間大学駅伝競走で大東文化大学優勝
　　市長に手紙を出す月間
　　人口が8万人を超える

在職７年目：民生部市民課市民係主事

## ◇一九九〇（平成二）年度

「『魅力と活力に満ちあふれた十万都市』を標榜し、飛躍発展の基礎づくりの年に…。今、当市に強く求められているのは、確たる展望を持って次代に向けた道標を築くこと。そのためには、広域圏中心都市の要となる環境整備や都市機能の基盤強化を積極的に推進する必要がある」

年度当初の施政方針で力強くこう宣言した芝﨑市長は、七月の市長選挙を無投票で制し、五期目を迎えました。この頃、芝﨑市長は比企広域圏の中心都市としての東松山を強く意識し始めていました。

一方、全国の地方自治体にバラまかれたバブルの象徴「ふるさと創生一億円」は、東松山市では街路の緑化推進と散歩道整備に使われました。当時、自治体では降って湧いた一億円の使途に大いに悩まされました。在職八年目であった我々若手職員にも、その使途に関して意見を求められました。

私は、松山城址のある吉見町と共同して「松山城再建」はどうかと提案しました。しかし、あえなく却下。隣町に投資してどうする…、建設費や維持管理費の負担割合はどうする…、そもそも自治体単独事業が支給対象だ、一億円で松山城が再建できると思っているのか、等々幹部職員から提案内容の甘さを叱責されました。

夢のような短絡的な発想の自分を恥じる一方で、自由で弾力的な考え方が押し潰された苦い経験として、今でも忘れることのできない出来事です。

## 1990（平成2）年度

市　長：芝﨑　亨／助　役：本橋金次郎／収入役：村山　進

教育長：田口　弘

議　長：渡辺　清（6月～）／副議長：矢島重雄（6月～）

人　口：80,480人／世　帯：24,657世帯

職員数：660人（内市民病院：173人）

総予算：319億1,940万円（＊初めて300億円を超える）

（一般会計予算：180億6,000万円）　※4/1現在

＜主な出来事＞

4月　市立図書館開館

野田ぼたん公園オープン

第1回市民憲章推進フェア開催

週休2日制実施＝第2・4土曜日市役所閉庁

（前年度までは、土曜日の午前中は開庁していた）

ふるさと創生1億円事業で「街路の緑化推進」と「花と緑の散歩道整備」

高坂・西本宿の一部を元宿2丁目に変更

7月　市長選挙、芝﨑亨氏無投票5選

1月　第67回東京～箱根間大学駅伝競走で大東文化大学2年連続優勝

市長に手紙を出す月間（379通＝517件が寄せられる）

湾岸戦争勃発

2月　高坂駅西口土地区画整理事業竣工

在職8年目：民生部市民課市民係主事

## ◇一九九一（平成三）年度

五期目を迎えた芝﨑市長は、この年度の施政方針で「真に豊かさを享受できる魅力あるまちづくり」をめざすことを表明し、東松山・高坂の両市街地を一体化するための施策として「都幾川リバーサイドパーク構想」を打ち出しました。

長年市政に携わった芝﨑市長は、都幾川で地理的に「分断」された東松山駅・高坂駅周辺の両市街地とそこに暮らす人々の心を、都幾川の自然を活用して「一体化」しようとしたのでした。

五期二十年の市政運営の集大成として、また、東松山市が飛躍発展するための人と人とを結ぶ基盤として、芝﨑市長はこの構想を推進することを決めたように思えます。

一方、一九七〇（昭和四十五）年に建設された市庁舎は、人口八万人を想定して建設されたこともあり、人口急増に手狭な状況が出現し始めていました。特に、駐車場不足は顕著であったことから、隣接する松山第一小学校の校庭を市庁舎駐車場として利用する構想を打ち出しました。（後の市役所庁舎西側駐車場）

この年度、私は初めての人事異動で民生部市民課から市民病院事務部医事課への配属となりました。

この年の四年前に増築された市民病院は、当時、二一一床（現在は、一一〇床）を有する総合病院であり、救急指定の中核的病院として連日多忙を極めていました。

## １９９１（平成3）年度

市　長：芝﨑　亨／助　役：本橋金次郎／収入役：村山　進

教育長：田口　弘

議　長：長島秀男（H3年３月～）→野口荘二（5月～）

副議長：岸澤重明（5 月～）

人　口：83,520 人／世　帯：26,004 世帯

職員数：662 人（内市民病院：179 人）

総予算：335 億 4,967 万円

（一般会計予算：192 億円）　※4/1 現在

＜主な出来事＞

4月　緑山小学校開校

県議会議員選挙が行われ、渡辺清氏初当選

（投票率 56.15%）

市議会議員選挙が行われ、27 人が決定

（昭和 49 年から 30 人だった議員数を削減）

（投票率 73.20%）

5月　唐子コミュニティセンターオープン

野本耕地にフラワーロード設置

6月　長崎県雲仙普賢岳で火砕流発生

南アフリカでアパルトヘイト撤廃

１１月　観音寺遺跡から銅釧（どうくしろ：弥生時代後期の腕輪）出土

1月　建設大臣が市野川、山崎町の水害状況視察

3月　消防署高坂分署完成

在職９年目：市民病院事務部医事課入院係主事

## ◇一九九二（平成四）年度

「地球にやさしい 人にやさしい まちづくり」をこの年の施政方針で打ち出した芝﨑市長は、二十一世紀へ向けて総合的なまちづくりを進めるため、次の五つの重点施策を掲げました。

**一　中核都市づくりの推進**
**比企地方の行政・産業・文化の中心としての役割を果たすため**

**二　自然・環境の保全と活用**
**恵まれた自然を守り、潤いのある生活環境づくりを進めるため**

**三　文化・スポーツの振興**
**心の豊かさを享受し、充実感ある市民生活の実現をめざすため**

**四　高齢者対策の推進**
**すべての高齢者を市民全体で支え合う地域福祉社会の形成へ向けて**

**五　参加と交流の展開**
**市民相互の交流と地域参加の拡大をめざすため**

平成に入ると芝﨑市長は「二十一世紀」という言葉を多用するようになります。当時、私は芝﨑市長からこの言葉を聴くと、新たな世紀を見据えてまちづくりを進めている市長の視線の先にある将来の姿を想像せずにはいられませんでした。

二年前から実施された週休二日制は、この年、教育現場にも導入されました。

## 1992（平成4）年度

市　長：芝﨑　亨／助　役：本橋金次郎／収入役：村山　進

教育長：田口　弘

議　長：矢島重雄（6月～）／副議長：小林茂雄（6月～）

人　口：86,480人／世　帯：27,273世帯

職員数：664人（内市民病院：180人）

総予算：375億1,123万円

（一般会計予算：218億円）　※4/1現在

### <主な出来事>

4月　東松山・小川地区消防組合を比企広域市町村圏消防組合に統合
　　高坂丘陵地区センター（現高坂丘陵市民活動センター）オープン
　　市道12号線（市の川通線）開通（800m）
　　粗大ごみの有料収集開始
　　村田重雄氏に名誉市民の称号を贈る

5月　日本新党結成。市庁舎改修工事開始

8月　総合会館完成・業務開始

9月　小・中学校で週5日制（第2土曜日休）開始

10月　ギャラリー東松山オープン
　　高坂丘陵地区センター第6回埼玉景観賞受賞

11月　日本スリーデーマーチ第15回記念大会

1月　市長に手紙を出す月間
　　ビル・クリントンアメリカ合衆国大統領に就任

在職10年目：市民病院事務部医事課入院係主事

## ◇一九九三（平成五）年度

**市政を進めるうえで重要なことは、将来を見据えた理想を掲げ、その実現のために、社会の潮流や時代の要請を的確に受け止め、「今何をなすべきか」を常に念頭に置きながら施策の展開を進めていくことだ。**

芝﨑市長の視線の先には、常に未来がありました。それは、五十年、百年先の未来でした。前述の言葉は、芝﨑市長の施政方針から引用したものですが、この言葉からも、芝﨑市長の視線の先を感じ取ることができます。

そして、後世に誇れる「ふるさと東松山」を実現するために「今何をなすべきか」を常に考えていました。

私は、当時の芝﨑市長の言葉を思い起こす度に、芝﨑氏の「リーダーシップ」を感じずにはいられなくなります。

一方、この年から第二・四土曜日だけでなく毎週土曜日が休日となる完全週休二日制が実施されました。市役所の労働環境から「半ドン（半日出勤の土曜日の略）」という言葉が消え、土曜日の午後に仲の良い先輩・同僚・後輩たちと過ごした「半日休暇」の時間がなくなりました。

政界に目を向けると、五十五年体制と言われた自民党の一党政権に代わり、連立政権である細川内閣が発足しました。私は、市役所に身を置きながら、国の政局が大きく変わろうとしている空気を肌で感じていました。

## １９９３（平成５）年度

市　長：芝﨑　亨／助　役：本橋金次郎／収入役：村山　進

教育長：小川　正

議　長：岸澤義明（6月～）／副議長：坂本祐之輔（6月～）

人　口：89,202 人／世　帯：28,438 世帯

職員数：686 人（内市民病院：188 人）

総予算：383 億 2,973 万円

（一般会計予算：218 億 5,000 万円）　※4/1 現在

＜主な出来事＞

４月　市役所で完全週休２日制実施
　　　交流センターオープン（神明町地内の旧結婚式場）
５月　サッカーＪリーグ開幕
６月　高坂図書館オープン
　　　人口が９万人を超える
　　　皇太子徳仁親王と小和田雅子さん結婚の儀
　　　新党さきがけ結成。新生党結成
８月　県平和資料館開館（展望塔は高さ 40m）
　　　細川内閣誕生（政界再編成＝55 年体制崩壊）
　　　レインボーブリッジ開通
　　　女性意識調査実施
１０月　印鑑登録証磁気カード化
　　　サッカー日本代表ドーハの悲劇
１１月　日本スリーデーマーチのマスコットマーク「スリーデーちゃん」選定
１月　市長に手紙を出す月間（252 通＝356 件が寄せられる）
３月　米不足騒動

在職 11 年目：市民病院事務部医事課入院係主任

## ◇一九九四（平成六）年度

年度当初の施政方針で芝﨑市長は、「誇りと愛着のある郷土『東松山』をめざして『人間尊重・市民生活優先』を基本理念とし、豊かな住みよいまちづくり実現のため努力する」と述べました。

その四か月後の八月四日、芝﨑亨氏は五期二十年にわたる市長職に幕を引きました。

東松山市の五十年先、百年先という遠い未来に目を向けた政治姿勢の根底には、常に市民本位、人間尊重の思想が流れていました。そして、その思想に裏打ちされた人柄からは、ある面、崇高な人徳さえ感じられました。

時には、強引、傲慢、ワンマンなどと揶揄されましたが、芝﨑氏の人間尊重の政治姿勢は着実に人、即ち、芝﨑氏の思想を受け継ぐ後継者を育て、次代へとバトンを繋ぎました。

第四代東松山市長に就任したのは、市議会議員から転じた弱冠三十九歳の坂本祐之輔氏でした。

坂本市長は、九月の市議会定例会の市長就任の挨拶で「生活重視・福祉優先」の市政で「みどり・彩り・いきいき東松山」を現場主義でめざすことを表明しました。

そして、就任早々、ごみ収集を体験すると、よろしくファックス、市民懇談会と現場主義に基づいた新たな施策を矢継ぎ早に展開していきました。

## 1994（平成6）年度

市　長：芝﨑　亨（8/4 任期満了）→ 坂本祐之輔（8/5〜）

助　役：本橋金次郎（8/3 辞職）　→ 福田　實（1/1〜）

収入役：村山　進

教育長：小川　正

議　長：杉浦竹男（9月〜）／副議長：板倉友雄（6月〜）

人　口：90,406 人／世　帯：29,114 世帯

職員数：695 人（内市民病院：188 人）

総予算：408 億 2,132 万円（＊初めて 400 億円を超える）

（一般会計予算：224 億円）　※4/1 現在

＜主な出来事＞

4月　週 40 時間労働制開始
5月　物見山公園オープン
6月　松本サリン事件発生。村山連立内閣誕生
7月　市制施行 40 周年記念行事開催
　　市長選挙が行われ、坂本祐之輔が初当選（投票率 65.41％）
8月　坂本祐之輔市長初当庁
9月　市民病院にＭＲＩを導入。坂本市長ごみ収集を体験
10月　北地区（現平野）市民活動センターオープン
　　唐子地区体育館オープン
　　秋篠宮殿下こども動物自然公園訪問
11月　広報紙面に「市長の仕事日記」コーナー掲載
　　市長室に「よろしくファックス」設置
　　公募による市民懇談会開催
1月　阪神淡路大震災発生
　　大東文化大学全国ラグビー選手権大会優勝
3月　地下鉄サリン事件発生

在職 12 年目：秘書室秘書課広報広聴係主任

随想録①

## 市役所の所在地

東松山市役所の所在地は、「埼玉県東松山市松葉町一丁目一番五十八号」です。

市役所のある松葉町は住居表示地区であり、土地の地番とは別に建物に番号が付けられています。通常、これが住居なら「住所」となり、事務所や会社、施設等なら「所在地」となります。市役所は、公共施設ですので「所在地」ということになります。

住居表示は、「住居表示に関する法律」（略称：住居表示法）に規定され、表示の方法は、街区方式と道路方式（札幌市や京都市など）の二通りの方法があります。そのいずれかの方法によることとされていて、東松山市の場合、街区方式を採用し、昭和四十年代初頭に導入しています。

街区方式とは、中心となる場所を定め、道路、鉄道、河川、水路等によって区画された地域（街区）につけた符号を用いて順序よく表示する方法です。端的に言うなら、道や鉄道、川などに囲まれた島のような場所ごとに符号や番号を付けて表示する方法です。

ここでいう「中心となる場所」とは、市役所や区役所である場合が一般的です。東松山市も、市役所を「中心となる場所」としています。因みに、東京都千代田区では皇居です。

このように、住居表示における街区方式とは、「道や川に囲まれた区域ごとに、市役所（中心となる場所）に近い方から順に番号を付けたもの」なのです。

東松山市役所なら、市役所前交差点から右回りに松山第一小学校を周り、松高前交差点を右に折れて市役所前交差点に戻る区域を指し、市役所前交差点から右回りに十メートルごとに道路に番号が付けられています。これが「住居番号」となります。（42ページの図参照）

それでは、何故、「中心となる場所」である東松山市役所の所在地番は「松葉町一丁目一番一号」ではないのでしょうか？

その答えは、「誤った解釈による付番」だと私は理解しています。

解説しましょう。

東松山市役所は、住居表示における「中心となる場所」であり、その周囲の道路は、市役所前交差点を起点に十メートルごとに一から五十八まで番号が付けられています。

そして、昭和三十八年に自治省（現総務省）から出された「住居表示の実施基準」には、「建物等の主要な出入口が、道路と接するところに付けられている番号を住居番号とする」と示されています。即ち、当時の市役所の主要な出入口が「五十八」のところ（市役所前交差点から右周りに一周し、順次付番された場所＝現在の公衆電話ボックス付近）にあったからそのまま付番したと思われます。

しかし、当該基準には「中心となる場所」を起点として付番するということは示されていますが、「中心となる場所」そのものに付番する方法は示されていません。

何故でしょうか？

それは、「中心となる場所」である市役所が「松葉町一丁目一番一号」であるということが

◇下図は、東松山市役所の所在地である「松葉町一丁目１番」の街区です。図の右下が東松山市役所前の交差点です。

東松山市役所が「中心となる場所」ですので、ここを起点として、右（時計）回りに１０ｍごとに番号を付け、建物の出入口のある地点が街区番号となります。

市役所に隣接する松山第一小学校の場合は、「１６」の位置に主要な出入口（である正門）がありますので、所在地は「松葉町一丁目１番１６号」となります。

この街区を一周すると最後の番号が「５８」です。当時の住居表示の担当者は、この位置に市役所の出入口があったことから「松葉町一丁目１番５８号」としたのでしょう。

それにしても、市役所の所在地番が「松葉町一丁目１番１号」であったなら、どれほど便利だったことでしょう…。

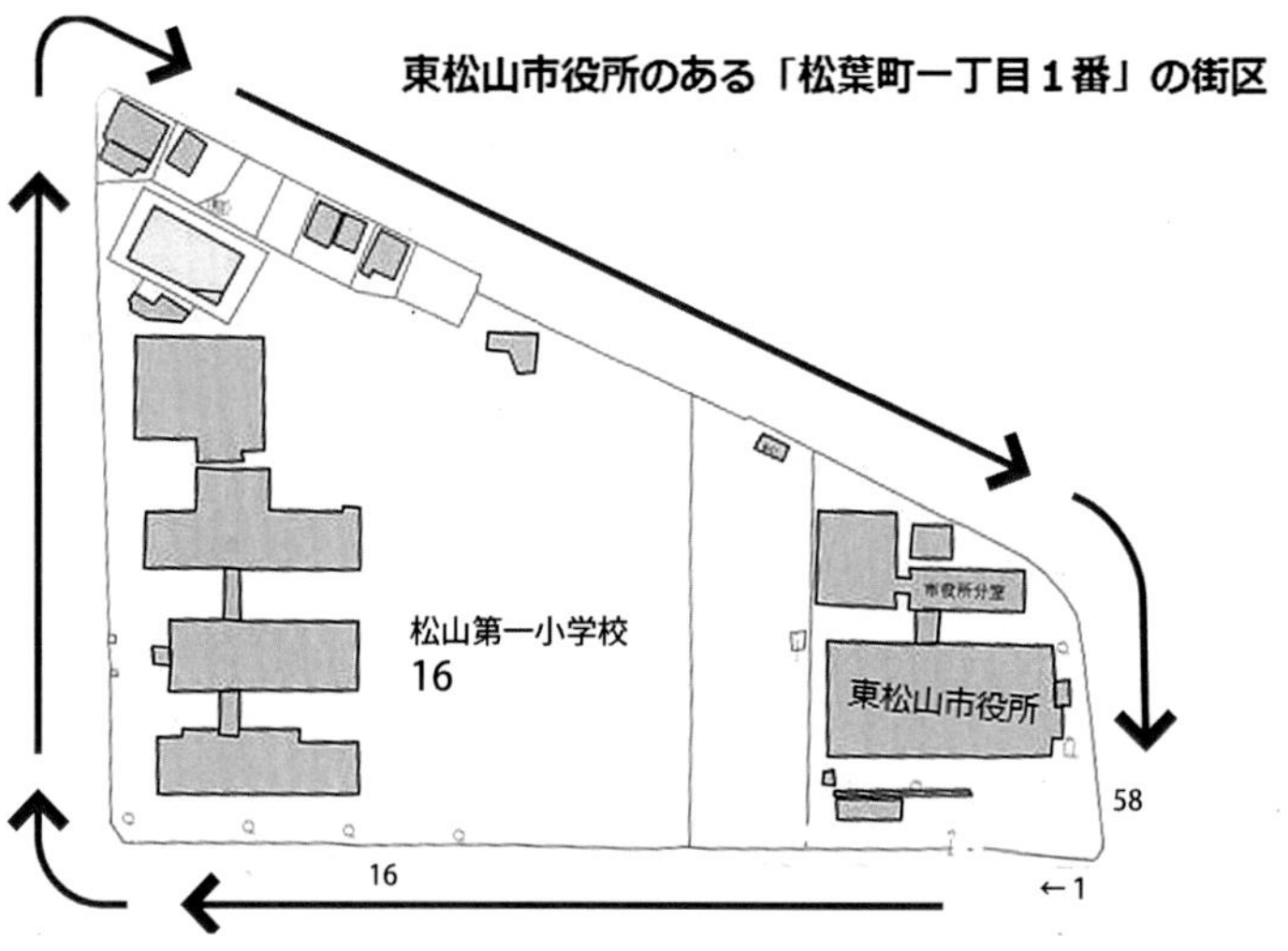

右下の角から時計周りに付番されています。

自明の理であるからです。だからこそ「中心となる場所」なのです。

因みに、皇居の所在地は、「東京都千代田区千代田一番一号」です。「中心となる場所」ですから、主要な出入口に関係なく「一」が付番されます。また、他の自治体の多くも「中心となる場所」を市役所とした場合の所在地番は、「一」としています。

私は入庁間もない頃、この疑問を自分でこのように解釈して以来、職員の判断が、市民に多大な影響を及ぼすということを肝に銘じながら仕事をしてきました。

東松山市役所庁舎

# Ⅱ 坂本市政

総合福祉エリア

# 一　生活重視・福祉優先のまちへ

## (一) 青年市長の誕生

五期二十年続いた芝崎市政の後を継いだのは、八年ぶりの市長選挙を勝ち抜いた坂本祐之輔氏でした。坂本氏は、三十二歳の若さで東松山市議会議員となり、二期目の途中で市議会議員を辞し市長選挙に出馬しました。

一九九四(平成六)年七月の市長選挙に立候補したのは三人でした。三人の立候補者の中には、第二代東松山市長である中里勇吉氏の長男もいました。実質、坂本氏と中里氏の一騎打ちの様相を呈しました。

投票率は六五．四一パーセント、二万一，四六八票を獲得した坂本氏が当選を果たしました。次点の中里氏は一万八，八八〇票でした。

弱冠三十九歳の若き青年市長誕生の瞬間でした。

当時、広報担当だった私は、即日開票の結果を防災行政無線で放送しました。初めての防災行政無線放送が、真夜中での選挙速報となりました。

## (二) 市政の継承と転換

第四代東松山市長となった三十九歳の坂本氏は、就任直後の九月定例市議会での挨拶で「生活重視・福祉優先」を掲げました。

当時、この政策は六十三歳で勇退された芝﨑市政の流れから見ると新鮮に映りました。「土木・建設行政から福祉行政への転換」、市民の皆さんの多くはこう捉えたようでした。

しかし、芝﨑市政による都市基盤の整備があったからこそ福祉行政への転換が容易だったことを、坂本氏は充分に認識していたように思います。それ故、坂本市長は、就任直後に前市長である芝﨑亨氏を名誉市民に推挙したのでしょう。

もっとも、名誉市民に推挙する理由は他にもありました。市民の多くが参加したコミュニティ活動としての「花いっぱい運動」や「日本スリーデーマーチの誘致と定着」等々、芝﨑氏が東松山市にもたらした功績は多大でした。

何れにしても、芝﨑市政から坂本市政への継承は、東松山市が歩む未来へのベクトル(方向性)を転換しました。そして、それは十六年間に及ぶ坂本市政下の東松山市に大きな影響をもたらすことになりました。

土木・建設行政抑制への賛同と不満、福祉優先・福祉偏重への称賛と苦言、多様化する市民の思いやニーズが錯綜する時代の中で、坂本市政は荒波の中へと出航しました。出航当時は、嵐の中に船出した小さな漁船のように映りました。

### (三) 生活重視・福祉優先の市政

一九九四(平成六)年九月、市議会定例会の市長就任の挨拶で「生活重視・福祉優先」を表明した坂本市長は、新たな施策を矢継ぎ早に実施していきました。

就任間もない九月に、自らごみ収集車に乗車してごみ収集の現場を体験すると、十一月には、広報紙面に「市長の仕事日記」というコーナーを設け、自らの行動を市民に知らしめるとともに、市長室に「よろしくファックス」を設置しました。

また、公募による「市民懇談会」も実施するなど、広く市民からの声を聴く体制を整えました。

就任二年目以降には、「ごみ対策市民会議」「中学生海外派遣事業」「夢咲きフォーラム」「市民プールへの無料送迎バス運行」等の新たな事業を展開しました。

更に、「生活重視・福祉優先」の言葉どおり、レスパイトサービス、二十四時間巡回型ホームヘルプサービス、三六五日配食サービス、在宅障害者生活支援事業、市内循環バスの運行、ナイトケア事業、グループホームの開設等の事業に加え、「花と歩けの国際平和都市宣言」やオランダ王国ナイメーヘン市との姉妹都市提携、「美しく住みよい環境づくり基本条例」の制定、ISO一四〇〇一の認証取得等、精力的に事業を展開していきました。

## （四）開かれた市政へ

　唐突ですが、私は学生時代、法学部に籍を置き情報公開制度を学びました。市役所の職員採用時の面接試験では、情報公開制度や個人情報保護制度の必要性を熱心に訴えました。しかし、当時の面接官だった市の幹部に「情報公開が市民の役に立つと本気で思っているのか？」と射すような口調で詰問されました。幸い合格しましたが、その時は「落ちた…」と思うほど冷たい視線を感じました。

　それから十七年後の一九九九（平成十一）年十月、東松山市に情報公開制度が導入されました。私が直接制度設計したわけではありませんでしたが、当時、担当していた先輩職員が、私の意見も聴き入れてくれて情報公開制度が完成しました。

　その一年半後の二〇〇一（平成十三）年四月には、個人情報保護制度も導入され、公文書の取扱いに関する制度の両輪が整いました。

　また、当時行政評価制度がクローズアップされ、その導入について資料収集を託された私は、先進都市へ足を運び、行政評価制度の仕組みを学びました。導入に際して、当時の上司は、次の二つの点に留意するよう、私に念押ししました。私は、常にその二点を念頭に置きながら仕事を進めました。

一点目は「導入や実施に際して経費をかけるな！」ということでした。当初、コンサルタントへの委託を想定していた私は、急遽コンサルタントの活用を必要最小限に留めました。僅かな経費を予算化し、コンサルタントには、自ら制度設計したものを「助言」してもらう業務に留めたのです。二点目は「事務のための事務にするな！」ということでした。つまり、行政評価制度自体が事務の負担にならないように制度設計しなさい！　という指示内容でした。

「金をかけずに…、負担をかけずに…」当時の私は、頭の中でこれらの言葉を呪文のように唱えながら机に向かい、行政評価制度の骨格づくりに明け暮れました。

そのような日々を過ごし続けた二〇〇一（平成十三）年十月、どうにか事務事業評価システムを立ち上げることができました。

あれから二十年の歳月が流れ、「事務事業評価制度」は「施策評価制度」へと姿を変えています。呼び方はどうあれ、行政評価制度は「市民が幸せになるための一つのツール（道具）であり、それを検証する仕組みである」ということを念頭に継承していただければと願っています。

私事が長くなりましたが、二十世紀末から二十一世紀初頭の時期は、国においても、中央省庁が一府二十二省庁から一府十二省庁へと再編されるなど、大きな時代の変革がありました。その変革の中で情報公開制度の担った役割は多大です。

行政情報を市民が共有することで、行政と市民との間に対等な議論が生まれ、そこに民意が反映されます。少しずつですが、着実に風通しの良い市政へと向かっていることを感じ取ることができる時代でした。

# 二「比企は一つ」の夢

## (一) 合併を夢見て

国が中央省庁の再編とともに進めていたのが「地方分権」政策でした。これは、地方の小さな自治体が合併することで地方自治体の自立・自律を促し、併せて効率的な規模の自治体を作ることにより地方交付税の削減を目指すものでした。合併の際には、国から多額の交付金が出ますが、長い目で見ると、国の財政負担が削減される仕組みとなっていました。

賛否はともあれ、二〇〇〇（平成十二）年、一九六五（昭和四十）年に制定された「市町村の合併の特例に関する法律」、いわゆる、「市町村合併特例法」が一部改正され、五年の期限で施行されました。

二〇〇一（平成十三）年、当時、企画調整や行政改革を担当していた私は、直属の上司に対して、市町村合併に関する資料収集や協議の必要性をこう提案しました。

「市町村合併について当市ではどう考えるのか、市民の皆さんへ説明しなくていいのでしょうか？」

すると、その上司は、

「坂本市長は、合併のことは考えていないから、説明も協議もしなくていいよ」

とあっさり退けられました。

「しかし、合併特例法は五年の時限立法ですから、合併する・しないに関わらず、今の段階で協議しておかないとマズイのではないでしょうか？　いざという時のために、資料収集だけでもしておいた方がいいのではないでしょうか？」

と私は食い下がりましたが、

「大丈夫だよ。坂本市長の頭には合併なんてないのだから…」

と言われ、聞き入れてもらえませんでした。当時の上司が、合併に関して坂本市長に確認したか否かは定かではありません。

その一年後の二〇〇二（平成十四）年、比企青年会議所を中心に合併論議が熱を帯び、市役所内部も、その流れに後押しされる形で合併論議に火が付きました。

坂本市長は、急遽、市町村合併に関する資料収集と現状把握を我々職員に命じました。一年前、合併に関して全く関心を示さなかった上司は、バツが悪そうに私に視線を向けました。この一年の出遅れが、後の合併協議に大きな影響を与えました。

比企地域における合併協議は、坂本東松山市長の呼びかけで始まりました。比企地域の市町村に先駆けて統廃合を進めていた農業協同組合（ＪＡ）や青年会議所（ＪＣ）も、この合併協議に大いに注目し、支援してくれていました。

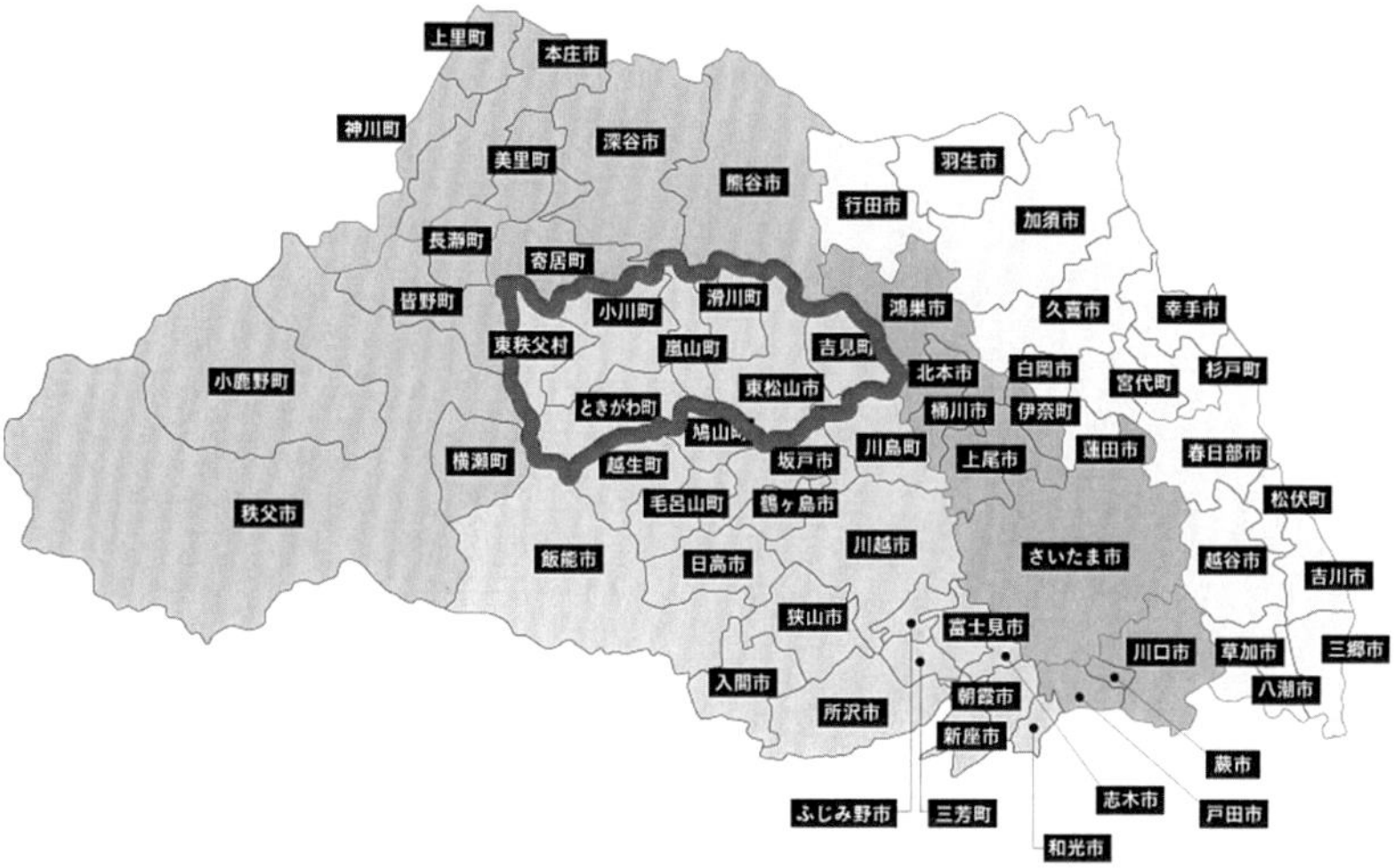


**◇埼玉県内の市町村図**

2020（令和２）年10月現在

上図の太線枠が、合併協議に参加した市町村です。その後、玉川村と都幾川村は合併し「ときがわ町」となりました。

「比企は一つ」の掛け声の下に、一気に合併熱が高まりを見せました。それと同時に、合併反対の声も挙がり、合併論議は多くの人の意見が錯綜する場となりました。

協議の段階であったにも関わらず、あたかも「合併協議会を設置する＝合併を推進する」と捉える人たちは、合併の是非を協議し、論ずることさえ拒否する態度を見せました。首長たちの姿勢にも温度差がありました。

埼玉県の中心、饅頭の餡のような地理的要件を備えた比企地域は、人口約二十万人、面積約三百平方キロメートルを要し、秩父山脈から続く放射状に広がる比企丘陵、それらがもたらす豊富な水と肥沃な耕地を有します。そして、比企丘陵は、やがて広大な関東平野へと溶け込んでいきます。比企地域は、このように、山、丘陵、水源、川、台地、平地と多様な魅力を兼ね備えた地理的条件に恵まれた地域でありました。

また、「スケールメリット（＝規模の利益）」といって、人口・面積・産業構造・財政規模等が非常に効率的に発揮できる条件を多く持ち合わせていました。

「比企は一つ」という合言葉は、私のようなまちづくりの一端を担う職員に大いなる夢と希望を抱かせました。

## （二）「比企は一つ」の夢破れて

二〇〇三（平成十五）年四月、比企地域任意合併協議会事務局の担当を命じられた私は、本格的に比企地域内の町村の資料収集や合併に関する法令内容の精査に取りかかりました。

合併の是非を住民の皆さんに決定してもらうには、法令内容や立法趣旨、資料の内容を説明できなくてはなりません。この比企地域で暮らす多くの人たちに合併する理由、あるいは、合併しない理由を理解してもらえなければ、話は前に進みません。我々の説明如何で、住民の皆さんの賛成か反対かが決まります。

住民の皆さんが納得し、賛同を得られなければ合併は難しい。そして、住民の皆さんの賛同を得るには、それなりの時間を要します。この点が、一番のネックでした。時間が足りるだろうか…、とそればかりが心配でした。

時限法の期限が二〇〇五（平成十七）年であることもあり、比企地域の合併協議に残された時間は決して十分とは言えませんでした。全国各地、県内各地域でも合併協議会が設立され、一大ブームを巻き起こしていました。その点で、比企地域での合併協議は出遅れ感を否めませんでした。

東松山市役所庁舎の地下一階に設けられた「比企地域任意合併協議会事務局」で事務を執るのは、東松山市、小川町、嵐山町、吉見町、滑川町、東秩父村、玉川村、都幾川村の一市四町三村の職員たちでした。東松山市からは四名、他の町村からは一名又は二名の職員が派遣されていました。

合併協議に向けた準備を進める一方で、市役所内部には、合併協議を快く思わない職員も少なからず存在していました。職員の中には、合併理由を私に詰問してくる方や通常業務が滞る元凶だとして合併に関する資料提供に協力的でない職員もいました。

そのような空気が漂う中で、東松山市役所内では粛々と合併協議に向けて、全課がその資料作りに向けて慌ただしく歩み始めていました。

合併に対する考え方は、ある面、政治信条やセンシティブな側面を併せ持ちます。したがって、職員個々に考え方が異なるのは当然と言えば当然です。しかし、個々の考え方とは別に、職務に専念しなければならないこともあるのです。私は、そんな思いを抱きながら仕事に邁進しました。

四月に設置されたばかりの組織で、五月二十一日に予定された第一回の協議会の資料を作成するには、あまりにも時間が足りませんでした。しかし、各市町村から集められた職員たちは、一致団結して、連日、深夜に及ぶまで資料作りに没頭しました。

このような状況下で迎えた五月二十一日、東松山市役所庁舎三階にある全員協議会室内の会議席には関係する八市町村長が座し、その後ろには、担当職員がたくさんの資料を抱え、控えていました。

第一回、初めての協議会の席で、滑川町長と嵐山町長が突如協議離脱を表明しました。滑川町長の離脱表明の動きは、報道等である程度予見できましたが、嵐山町長の突然の離脱表明は、嵐山町の職員にも寝耳に水でした。まさに、青天の霹靂でしたが、両町長がどのような理由で離脱を決断したのか、その真意は不明です。

滑川町だけの脱退なら再協議の道も開けましたが、比企を東西に二分する位置にある嵐山町の脱退は協議会の解散を余儀なくさせました。嵐山町は地理的に比企地域の合併協議においてキャスティングボード（決定権）を握っていたのです。

何れにしろ、滑川町と嵐山町の二町の脱退により、二〇〇三（平成十五）年四月に設置された「比企地域任意合併協議会」は、同年五月に解散となりました。「比企は一つ」の夢は、実に呆気なく潰えてしまいました。

傍聴席にいた比企青年会議所のメンバー数名が、呆然とした面持ちで立ち尽くしている姿を私の目は捉えていました。

坂本市長のすぐ後ろに控えていた私は、滑川町長と嵐山町長が離脱を表明すると、コップに水をつぎ、坂本市長の肩を軽く叩いてそれを差し出しました。私を振り返った坂本市長は、コップの水を見ると、苦笑してその水を飲み干し、大きくため息をつきました。

次の瞬間、坂本市長の表情は、落胆とも諦めともつかない複雑な表情に変わり、シュールな笑みを私に見せて前を向きました。

「西澤君、もし、合併協議が破綻したら、コップに一杯、水を出してくれないか…」

会議開始前、坂本市長は私にこう告げました。半分は冗談のつもりで言ったのかもしれませんが、私は、坂本市長の意向を忠実に履行しました。あの時、坂本市長が味わった水の苦さを、私も共有していました。

市町村合併とは、裏を返せば地方自治体の数だけいる首長を一人にする作業でもあります。その意味で、比企地域八市町村の合併協議は、八人の首長のうち七人の首長の首を切る作業でもありました。

しかも、合併後の首長選挙では、人口の多い地域からの立候補者が有利であるのは自明の理です。即ち、比企地域での市町村合併後の新たな市の市長選挙が行われた場合、東松山市長又は東松山市域内からの立候補者が極めて有力だ、ということなのです。

私は、この合併協議を通じて東松山市以外の首長の皆さんの複雑な心情を改めて想いました。郷土愛と合併との狭間で苦悶する首長の皆さんの姿を想うと、真の郷土愛とは何か、住民の幸せとは何か、という難問を目の前に突き付けられているように感じました。
令和の時代を迎えた今、市町村合併の行方はどうなるのでしょうか…。
未来を担う人たちの賢慮に委ねたいと思います。

## (三) 合併協議を巡る訴訟

比企地域での合併協議会がわずか二か月で解散して間もない二〇〇三（平成十五）年八月、東松山市、小川町、嵐山町では、相次いで住民から訴訟が提起されました。

提訴した理由は、①「合併協議会は住民投票もせず、議会に諮られることもなく各市町村長の恣意的な判断で設立され、憲法の定めた住民自治の趣旨に反する」、②「市とは別個の団体の合併協議会で働いていた自治体職員らに給与が支払われていたことは、違法な公金支出にあたるので、首長に返還を求める」というものでした。

私は、任意合併協議会設立に際して、法的根拠も入念に調査していました。提訴されたところで、法的に何ら問題は見当たりませんでした。しかし、新聞各紙で報道されたことにより、市の内部では動揺が走ったようでした。

提訴から一年九か月後の二〇〇五（平成十七）年五月二十五日、さいたま地方裁判所は、「合併に関する調査、研究、計画策定等を行うことは、市町村の事務と考えられ、本件任意合併協議会の職務はまさに基礎的地方公共団体たる東松山市の事務の一環としてとらえられるべきである」とし、「本件任意合併協議会における市の職員の職務内容は、市の事務そのものというべきであり、…市の職員に支給した給与等も違法なものとはいい難い」との判決により、第一審は棄却され市側が勝訴しました。

その後、住民側は、二〇〇六（平成十八）年二月二十八日に東京高等裁判所に控訴しましたが、棄却されると最高裁判所に上告しました。

同年七月十一日、最高裁判所は上告を棄却し、市側の全面勝訴で約三年に及ぶ裁判にピリオドが打たれました。

そもそも、この裁判は「住民投票をせずに任意合併協議会を設立し、職員を派遣したのは憲法の定めた住民自治の趣旨に反し違憲だ」ということで提訴されたのですが、法的な争点がなく、総務省も「このような訴えは全国的に聞いたことがない」としていました。

提訴した市民の皆さんの気持ちは、ある程度理解できます。しかし、自治体職員も、法的な根拠に基づき、適正な手続きを踏んで、民主的に業務を行っているということを理解して欲しいと思います。

# 三　安定した政局と比較的自由な職場風土

## (一) 三期続いた無投票の市長選挙

坂本市政の四期十六年、この間一度も市長選挙は行われませんでした。これは、単に「運が良かった」だけではありません。坂本市長の市政運営と人柄が選挙をさせなかった、と私は思っています。

その要因は二つあります。一つは「市民との交流のうまさ」、もう一つは「市議会への対応の妙」です。

「市民との交流」という点では、会合の場や偶然の出会いでも、坂本市長は必ずひと言会話を交わしました。たとえ、どんなに時間が無くても、政敵であっても、トイレで偶然隣り合わせても、分け隔てなく快活な声で会話をするのです。しかも、どんな相手にでも「笑顔で」、です。

それは、若くして市長になったが故の謙虚さからくるものかもしれませんが、やはり、坂本祐之輔氏個人の人柄・人間性からくるものが大きいと感じています。人から話を聴く姿勢と相手が期待する回答を察知し、素早く言葉を発する能力は、坂本氏の才能だと思います。

坂本市長は、市職員に対しても市民と同様に対応しました。

ある時、私は坂本市長に、

「審議会等の会議の席では、挨拶だけで退席せずに時間のある限り席にいて、必要な時には発言してください」

と、大それたことを申し出たことがあります。

その時、坂本市長は少し間を置いてから、

「…そうだね、せっかく会議に参加してくれている市民の皆さんもそう思っているかもしれないね。これからは、なるべく退席しないようにするよ。ありがとう」

こう笑顔で返してくれたのでした。

もしかすると、この時、生意気なことをいう職員だと感じ、不快な気分になったかもしれませんが、そんな感情は億尾にも出さず、いつものような爽やかな笑顔で返してくれたのでした。

職員として、これほど嬉しいことはありません。言いにくいことは、ついつい進言しない傾向がありますが、坂本市長は職員が意見を出しやすい、話しやすい雰囲気を作ることに気を配ってくれました。

また、「市議会への対応」においても、一般質問の際には、先ず自らが答弁しました。しかも、質問内容に含まれていない事項でも、再質問してくるであろう点には先回りして答弁することが多々ありました。

これも、市民との対話で身に付けた坂本市長の強みだと思います。「市民」でも、「市議会」

でも分け隔てなく、自らで対応することが坂本市長のスタンスでした。

自分の持つ天性の魅力と能力を最大限活用して、相手から好感を得る…。良い意味での「人たらし」であったと思います。

何れにしても、三期連続で選挙をさせなかった坂本市長は、前任の芝﨑市長同様、市民と市議会から信任を得ていたと言えます。

## (二) カジュアルな身なりと心で

話しやすい職場づくりという点では、もう一つ「カジュアル・デー」の実施が挙げられます。

一九九六（平成八）年から実施されたカジュアル・マンデーは、職員が毎週月曜日に、自由な服装で出勤することを認めた制度です。とかく出勤するのがブルーな気分になる月曜日に、寛いだ服装で出勤することにより、気分も仕事も少し肩の力を抜いて取り組むことができます。そんな効果を期待して坂本市長の発案で導入されました。

当初、市民の反応は賛否様々でしたが、他の自治体でも同様の取り組みが報道されるなど、時代の潮流はカジュアル・デーに肯定的でした。

二〇〇五（平成十七）年には職員の制服も廃止され、地方自治体にも統制色が薄れ始めました。それまでは、貸与された制服を着て、忠実に職務に専念することが公務員の責務とされていました。

しかし、服装の選択が個々人に委ねられたことによって、仕事の質も、上司からの指示・命令だけの範囲を超え、個々の判断に基づいて付加価値が膨らむ環境へと変化していきました。

カジュアル・マンデーは、その後、夏季のカジュアル・マンスに形を変え、二〇〇五（平成十七）年の制服の廃止とともに全国的に展開されたクール・ビズに飲み込まれる形で廃止されました。

男性職員なら、白いYシャツに地味なネクタイという定番の身なりから、色鮮やかなYシャツに洒落たネクタイへと外見に変化をもたらしたカジュアル・デー。

導入当初こそ、職員にも市民にも戸惑いやためらいがありましたが、少しずつ華やかに変貌を遂げた職員たちは、その内面も次第に活気や活力、そして、明るさに満ちて仕事に取り組むようになっていったように思います。

また、職員が自らで作る「庁内広報」の発刊を一九九五（平成七）年十二月から実施し、創造的に職務に執り組む環境も整えられました。

二〇〇四（平成十六）年には「いいっぱなしで委員会」というユニークなネーミングの職員委員会を作り、忌憚のない意見が出せる会議の場も設けられました。

このように、坂本市長の下で、職員は自らの発案に基づいて職員間の交流の場を設け、職員個人としての能力を高めていくことができました。

# 四　職員の不祥事

## (一) 事件の頻発した二〇〇八（平成二十）年

一九八九（平成元）年、芝﨑市長は、この年を「反省と出発の年」と位置づけ、四期十六年の政治姿勢を振り返りました。一方、二〇〇六（平成十八）年、坂本市長は無投票で四期目を迎え、順風満帆な政治家人生を歩んでいました。

今、こうして振り返ってみると、この時期は、政治家が自己の政治姿勢を見つめ直す節目の時なのかもしれません。

二〇〇七（平成十九）年六月、競争入札妨害（談合）罪で社員が起訴され、埼玉県から指名停止処分を受けている建設業者を東松山市で指名していたことが発覚しました。

この事件が序章となり、翌年、東松山市が大きく揺れ動くことになる入札に絡む前代未聞の不祥事が二件、連続して発生しました。

最初の事件は、二〇〇八（平成二十）年四月でした。

東松山市役所に勤務する現職の河川下水道課長が、事業の予算額を教えた見返りに業者から現金を受け取っていた、というのが事件の概要です。

市は、この事実を受け、当該職員を懲戒免職処分とするとともに、収賄事件として刑事告発しました。

この事件は、過去の下水道関連事業において、落札価格と予定価格が四十八件中十三件も一致したことに端を発しました。調査を進めると、現職の河川下水道課長が見積額をそのまま予定価格としていた情報を業者に漏洩し、その見返りとして現金を受け取っていた、という事実が判明しました。

七月十一日、既に退職し、刑事告発されていた元河川下水道課長は、「二〇〇三(平成十五)年十月頃、志木市内の業者から予算額を教えた謝礼として三十万円受け取った」として東松山警察署に逮捕されました。その他五人の職員も一緒にゴルフをしたり、飲食の提供や盆暮れの贈答品を受けたりしていた事実が発覚しました。

この逮捕から僅か十八日後の同年七月二十九日、下水道事業に絡む別の事件で、みどり公園課の副主幹が逮捕されました。

この事件は、二〇〇六(平成十八)年、当時下水道課浄化センターの係長であった当該副主幹が予定価格を業者に漏らしたとする競争入札妨害の疑いでした。

東松山市政史上初めて、同一月内に二人の職員が逮捕されるという前代未聞の不祥事でした。市の職員も、この事件に大いに動揺しました。

ここに、当時の市の幹部の慌てぶりがよくわかる状況を記しておきましょう。

元河川下水道課長の逮捕から四日後の七月十五日、法務に詳しい三十代の主査（係長職）の職員が「特別理事」という職を与えられ、本件の処理に当たることとされました。この特別理事となった職員は、仕事をしながら法科大学院を卒業し、司法試験を受験するなど法務事務に精通していました。

その二週間後の七月二十八日、「特別理事」である当該職員は、主査（係長）職から一気に部長職に昇格しました。

これは、異例中の異例の飛び級出世であり、庁内に大きな衝撃が走りました。何せ、主査の次は課長補佐（現副課長）、課長、次長、部長と職位があります。当時は、「最低でもその職位を二年経験しないと昇格させない」というのが人事の基準でした。上位職の標準的な職務遂行能力を育成するには最低でも二年を要する、というのがその理由でした。

部長職はその最高位です。三十代の若さで部長職になった職員は前代未聞のことであり、人事行政の基本である職務遂行能力の判定さえ無視した人事でした。

この人事は、当時の慌てぶりを如実に表しています。

内規を無視し、冷静さを失った人事であることは明白です。当時は管理職へ昇任するのに試験制度はなく、任命権者の裁量で昇任させることができました。しかし、公平・公正な人事を謳う地方公務員法等の法令に適《かな》った人事であるとは言い難いと思います。また、定年を目前に控えた現職の部長たちも、自分たちの「無能さ」を露呈されたような思いで、心中穏やかではなかったことでしょう。

そんな混乱状況の中で、市では「入札制度等調査委員会（内部組織）」を立ち上げ、当該「特別理事」が中心となって事件の詳細を調査し、報告書をまとめました。

当該委員会の報告書によると、①財政契約課の不適切な指示、②見積額をそのまま計上する慣行、③指名委員会のチェックの甘さ、の三点が当該事件の主な要因とされました。

市は、この報告書に基づき、二〇〇三（平成十五）年度から二〇〇七（平成十九）年度までの関係職員十五人を減給や戒告の懲戒処分としました。

また、事件発生当時二〇〇三（平成十五）年度の契約担当課長だった職員は、停職一か月の懲戒処分、市長給与は三か月間二十パーセント減額としました。副市長は、この事件の発覚直後の五月末に責任をとる形で辞職し、その後二か月間、副市長のポストは空席となりました。

前者の収賄事件に対しては、二〇〇八（平成二十）年九月に元河川下水道課長に懲役一年六か月、執行猶予三年、追徴金三十万円の判決が下されました。

また、後者の競争入札妨害事件に対しては、一、二審とも、みどり公園課副主幹に懲役十か月、執行猶予三年の判決が言い渡され、二〇〇九（平成二十一）年二月に懲戒免職処分となりました。

事件当時、私は総務課の文書法規の担当だったこともあり、市の条例や規則の内容、それらの解釈を警察や検察から聴取されました。

今でも鮮明に憶えているのは、休日にも関わらず、さいたま地方検察庁舎で、前者の収賄事件に絡む市の条例や規則、要綱等の内規について、密室で聴取されたことです。

初夏の纏わりつくような湿気を帯びた空気の中で、扇風機が首を振っている薄暗い部屋でした。検察官が読み上げる事実認定に関する調書に誤りがないかを確認する作業でした。

私は、休日の大半をこの部屋で過ごしました。昼食を摂るために外出したような記憶は微かにあるのですが、どこで何を食べたのか、緊張と不安の入り混じった一日だったこともあり、今でも思い出すことができないでいます。

下水道事業に絡む逮捕劇が二つもあったのが要因とは思いませんが、東松山市は未だに下水道普及率が低いままです。それも市街地で、です。事件から十年以上が経過した今も下水道事業は遅々として進捗していないのです。

職員の汚職による事業の停滞という過去の汚名を返上するためにも、市街地の下水道普及率の向上に「特化」して取り組む姿勢を見せるべきではないでしょうか…。

地方自治体においては、部長や課長など管理職員の判断や行動力が事業の進捗に大きな影響を及ぼします。特に、生活に直結する下水道事業等を所管する管理職員の自覚と判断次第で、市民生活は大きく左右されます。

自治体職員は、このことを自覚し、市民にとって何が必要かを考え、行動して欲しいものです。

## (二) リーマン・ショックに揺れた東松山市社会福祉協議会

入札に絡む二つの事件が東松山市内を混沌とさせるなか、それに追い打ちをかけるように東松山市社会福祉協議会で新たな事件が勃発しました。

二〇〇八(平成二十)年九月、アメリカ合衆国の投資銀行リーマン・ブラザーズ・ホールディングスが経営破綻しました。東松山市社会福祉協議会(以下、「社協」と表記)は、この経営破綻したリーマン・ブラザーズの社債を約一億円分保有していました。通常では、民間の社債を保有すること自体、考えられないことでした。当時の社協の会長は、坂本東松山市長が兼務していました。

同年九月二十七日、新聞各紙はこの事実を一斉に報じました。

坂本市長にとっては、相次ぐ職員の逮捕に続くリーマン・ブラザーズの社債購入事件は、自らが会長を務める社協での事件だけに、正にダブルパンチの痛手となりました。

その後、頻繁にリーマン・ブラザーズ社債購入の事件が新聞紙上を賑わせました。

前述の「特別理事」は、この事件が発覚した際にも、本件の処理を坂本市長から託されました。

ここで、このリーマン・ブラザーズ社債購入事件の論点を整理しておきましょう。論点は、主に次の五点に集約できるでしょう。

一　社債購入に至る経緯
二　法的根拠と違法性の有無
三　事件発覚後の対応
四　責任の所在
五　損失した約一億円の処理

次に、この五点について、検証してみましょう。

まず、「一　社債購入に至る経緯」については、リーマン・ブラザーズが破綻する約一年前の二〇〇七（平成十九）年十月に、証券会社からリーマン債の購入を勧められたことに端を発します。当時、社協では、重度障害者のデイ・サービス事業で毎年五百万円程度の赤字が見込まれたことから、利率の有利な社債購入に踏み切りました。

同年十一月、社協は資金運用規程に基づき、理事会に諮らないまま会長である坂本市長の決裁を受けて一億円のリーマン社債を購入しました。

次に、「二　法的根拠と違法性の有無」という点から検証してみましょう。

先述の資金運用規程は、二〇〇六（平成十八）年十一月に理事会の議決なしで社債を購入できるよう改定していました。しかし、当時の厚生労働省の通知は、社協などに購入を認められた「確実な有価証券」に社債は入らないと解釈されていました。即ち、この時点で厚生労働省は、社協に社債を購入することを認めていなかったのです。

その後、厚生労働省は二〇〇七（平成十九）年三月の通知で、社協が社債や株式を購入する場合、購入前に理事会が議決すべきだと定め、理事会の議決を条件に社債の購入を認める見解を示しました。

つまり、社債購入の手続きは資金運用規程に基づいて購入されましたが、厚生労働省の通知には違反して購入してしまった、ということです。法的根拠としては、乏しいといえます。

「三　事件発覚後の対応」としては、事実を厳粛に受け止め、将来に向けて適切に対応するのが常道です。しかし、先述した「特別理事」は、資金運用規程を厚生労働省が社債の購入を認める通知を発した後の二〇〇七（平成十九）年三月以降に改定したように「改ざん」しようとしたことが内部告発で判明しました。このことで、本件は更に泥沼化しました。

規程改ざん未遂の一件に加え、社協の会長を兼務していた坂本東松山市長が会長職の交代を当時の社協幹部に要請し、断られていたという事実も判明しました。これは、交代を要請された幹部職員自らの判断により公にされたもので、ここに至り、社協の会長と社協事務局幹部職員との対立の構図が浮かび上がりました。即ち、「四　責任の所在」を巡る対立が顕在化したのです。

会長職の交代要請は、「会長が自らを裁くのは不適切である」とのことから判断したと坂本市長は抗弁しましたが、一方で責任回避の方策だと非難されました。

最後に「五　損失した約一億円の処理」について、検証しておきましょう。

問題発覚直後の十月一日の社協理事会では、損失補填のため職員の人件費や経費を削減して補填していく方針を決定しましたが、社協評議員会からは「人件費の削減は職員の士気が低下する」と指摘され、問題は先送りされていました。

このような状況を打開するため、二〇〇八（平成二十）年十一月一日、社協にリーマン社債調査委員会が設置され、十二月二日に当該調査委員会から報告書が提出されました

同年十二月八日、社協理事会は損失した約一億円の責任問題を協議し、当該報告書に付された弁護士の意見書に基づき、社協で追うべき損失責任を五千万円としました。この五千万円の損失補填は、社債購入当時の事務局の責任とし、当時の事務局長に四千万円、事務局員二人に一千万円の損害賠償請求を決定しました。更に、事務局長に対しては、背任の可能性があるとして告発を検討するとしました。一方、社債購入の決裁をした坂本会長の責任は不問としました。

この決定には批判が続出し、職員側も「個人の賠償がなじむのか疑問」と反論しました。すると、決定から僅か四日後の十二月十二日、社協理事会は、事務局長ら三人に対する計五千万円の損害賠償請求を撤回しました。この決定は、職員個人に損害賠償請求をしたことに加え、賠償責任をうやむやにするのではないか、という新たな批判を生みました。

同年十二月二十二日、坂本市長は、次年の一月から十二月までの一年間、自身の給与五割カットを打ち出すとともに、「社協改善の道筋がついた」という理由で社協に会長職の辞表を提出しました。辞表は受理され、後任には当時の副会長が就任しました。同日に開催された理事会では、去る十月一日に職員の人件費や経費を削減するとした決議も撤回されました。

一方、市議会でも、市長の責任について一般質問されましたが、先述の特別理事が「全責任が印鑑を押した者にあるというのは法的に通らない。第一義的にリーマンの経営状況を把握す

べきは事務局だ」と、社協事務局との意見の相違を明白に表明する形で市長に代わって答弁しました。

市議会は、リーマン社債破綻発覚後の処理過程について調査するため、十二月二十五日に調査委員会を設置しました。

翌二〇〇九（平成二十一）年二月二十四日、社協理事会はリーマン社債問題で「坂本市長に善管注意義務（善良な管理者の注意をもって管理しなさい、という意の法律用語）違反はあるが、民事上の損害賠償は求めない」とする方針を全会一致で決定しました。職員についても事務手続き上の過失に伴う懲戒処分は検討するものの損害賠償は請求しない、と決定しました。

こうしたプロセスの中で、坂本市長に対し、その責任が市議会からも追及されました。また、自らの責任を不問とし担当職員へ責任を転嫁しようとしたこと、損失補填を職員に負担させようとしたことにより、市の内外からも厳しい視線や非難を浴びせられました。

東松山市役所の周りに街宣車が来て、坂本市長に抗議の声を浴びせた黒ずくめの男の姿を、私は今でも忘れることができません。

事件はその後、リーマン社債の清算において一億円の半分程度は回収できたと囁かれていますが、結局、清算状況の詳細はわかりません。また、会長や職員の責任についても詳細は不明のまま現在に至っています。

これが、社協におけるリーマン騒動の顛末です。

社協事務局でリーマン社債を購入する際には、証券会社の社員や社協職員の意見も加味したに違いありません。そのような状況の中で、どのようなやり取りを経て、社債を購入する方向へ進んで行ったのでしょうか？

社協の事務局職員は、そのほとんどが債券の運用に関しては素人ですが、仮に経験者や債券取引の知識を持った者がいたならば、その職員の意見が通ったことでしょう。

また、購入に際しては、必ず法令や通達等に違反しないかを確かめることも重要な責務です。誰が、いつ、これら法令の根拠を確認したのでしょうか？

仮に、誰も確認することなく購入したのなら、職員として重大な過失があった、と言わざるを得ません。最終的には、会長が決裁しなければリーマン社債は購入できないわけですが、決裁の際、誰が、どのような説明をしたのでしょうか？

この事件は、明らかに人的要因に起因します。しかし、責任の所在は今も明らかではありません。社協での再発防止策の徹底が望まれるところです。

二〇〇九（平成二十一）年、年末の十二月市議会定例会で、坂本市長は次回の市長選挙への不出馬を表明しました。

# 五　坂本市政を振り返る

## (一) 全国区になった市名

坂本市長は、一九九四（平成六）年八月から二〇一〇（平成二十二）年八月まで、四期十六年にわたり東松山市政を担いました。その間、東松山市はその姿を大きく変えました。東松山駅前のシンボルとして、半世紀近く市民の行き来を見守った大きな赤鳥居は姿を消しました。代わって、東松山駅はレンガ造りのお洒落な駅舎に姿を変え、ペデストリアンデッキから駅前を行き交う人々の様子を眺めることができるようになりました。

「生活重視・福祉優先」の政策は、全国にも名を馳せるほどの実績を残しました。

特に、二〇〇五（平成十七）年度の小学六年生の社会科の教科書（東京書籍㈱発行）に東松山市が掲載されたことは、市としても誇るべき出来事でした。

この教科書には、日本国憲法の三原則を学ぶ「私たちのくらしと日本国憲法」という項目に、東松山市の政治を例として十ページにわたって掲載されています。日本国憲法の三原則とは、言うまでもなく「基本的人権の尊重」「国民主権」「平和主義」の三つを指します。

「基本的人権」の項目では、公共施設のバリアフリー化や介護サービスの充実などを例に、ノーマライゼーションのまちづくりが基本的人権の尊重に直結していることが紹介されました。「国民主権」の項目では、市民の政治参加を進めるための仕組みとして、情報公開制度や市長への手紙などが紹介されました。坂本市長が、就任以来一貫して続けてきた「市民の声」を聴く姿勢や公募による市民参加施策の成果と言えます。

三つ目の「平和主義」の項目では、市内の埼玉県平和資料館や丸木美術館を挙げて平和の尊さを伝えている、と紹介されました。個人的には、一九九六（平成八）年九月に東松山市から世界へ向けて発信した「花と歩けの国際平和都市宣言」の存在が大きかったのではないかと感じています。

何れにしろ、関東の人口九万人の地方都市である東松山市を手本として、日本国憲法の原則が全国へ向けて発信されるのは、職員としても、市民としても、とても誇らしい出来事でした。

## （二）求め続けた「市民の声」

坂本市政において特筆すべきは、坂本氏が市長に就任して以来、四期十六年の間に一度も市長選挙が行われなかったということでしょう。

多選が批判される昨今において、一度も対抗馬が出ずに無投票で市長が十六年間の任期を遂げたというのは、市長が信任されている証であり、珍しい現象でもあります。この要因として、私は「市民との交流のうまさ」と「市議会への対応の妙」の二点を先述のとおり挙げました。

特に私は、「市民との交流」という点に坂本氏の政治姿勢の本髄を垣間見ることができると思っています。市長就任直後に「市民の声係」を設置したのは、その重要性をいち早く認識し、市民に対して「真摯に聴く耳」を持ち続けていたかったからではないでしょうか。坂本市長が、市長専用の公用車に「初心忘るべからず」と書いた色紙を掲げ続けていたのも、その決意の表れだったように思います。

また、坂本市長は、市民との集会の場で、必ずと言っていいほど、一人でも多くの人と会話を交わし、意見を聴き歩きました。二〇〇一（平成十三）年には「なんでも相談室」という窓口を開設し、多様な形で市民からの声を求めました。

市民の皆さんからすれば、市長が自分の意見や思いを真っ正面に受け止めてくれると感じれば、応援したくなるのが人情というものです。このような「市民との交流」の積み重ねが、四期十六年間、一度も選挙をすることなく、市政を担うことができた最大の要因だと思うのです。

「政治は政策で動くのではなく、感情で動くのだ」という言葉を聴いたことがありますが、「市民の皆さんの声」に熱い眼差しで、真摯に耳を傾ける坂本市長の姿が、この言葉とともに今も私の脳裏に焼き付いています。

## （三）引退

坂本市政全般においては、人口も予算もほぼ横ばいで、常に右肩上がりの社会情勢だった芝﨑市政の時代とは大きく異なっていました。限られた予算の中で新たな施策を実施するために、坂本市長に求められたものは、斬新なアイディアであり、奇抜ともいえる工夫でした。

そのような状況下で、時には綱渡りのように運営された市政でしたが、市民からの評価や市議会との関係は概ね良好だと感じていました。

しかし、二〇〇八（平成二十）年の職員の相次ぐ汚職と、東松山市社会福祉協議会でのリーマン・ブラザーズ債券購入による約一億円の損失問題で、市議会との関係に加え、市民からの評価も大きく下げたことは否めません。

これらの不祥事が要因か否かはわかりませんが、坂本氏は、翌二〇〇九（平成二十一）年十二月、市議会本会議の一般質問に答える形で次回市長選挙への不出馬を表明しました。

「生活重視・福祉優先」を掲げて十六年間、東松山市政を担った坂本祐之輔市長は、その言葉どおり、東松山市を福祉のまち、環境のまちとして育てあげました。

常に社会的弱者に目を向け、彼らに寄り添う坂本市長のノーマライゼーションの精神は、十六年の間に市民の心にも培われ、次第に市内全体に浸透したように思います。

就任直後にごみ収集車に乗った経験を、ごみ対策市民会議の開催、ごみの五分別収集へと実現化させ、やがて、「美しく住みよい環境まちづくり基本条例」や「環境まちづくり宣言」として結実させました。「生活重視・福祉優先」のまちづくりは、着実に東松山市に浸透しました。その一方で、先述したリーマン騒動に足元を掬われた形で坂本氏はその評価を下げました。しかし、坂本市長は、困難な時代を乗り切るために、斬新な発想や新たなアイディアのもとに、比較的自由な仕事場を職員に与えてくれました。

地方自治体で働く職員も人です。人は締め付けられれば委縮し、思い切ったことができなくなります。決められた枠の中で、きっちり仕事をすることが全てだと思い込み、融通が利かなくなります。しかし、坂本市長は、自由闊達な言動で斬新なことに取り組むことができる風通しの良い職場環境を整えてくれました。これは、職員の一人として、とてもありがたいことでした。他方、自由や斬新さにばかり捕らわれると私利私欲や情に流され、法令という枠さえ躊躇いもなく超えてしまうことがあります。難しいことですが、それに気付かなかった職員以上にトップに立つ市長は叩かれ、裁かれることになります。

坂本市長の引退は、トップに立つ人の「出処進退のあり方」や「責任とは何か」ということを考えさせられた経験として、私の中に鮮明に記憶されています。

青年市長坂本祐之輔氏は、東松山市民の心の一隅に「福祉」という小さな灯をともしてくれました。それを十六年の歳月をかけて多くの市民に広げ、やがて市内全体を照らす大きな灯に育んでくれました。東松山市民の財産として、大切にしたいものです。

一灯照隅…。

## ◇一九九五（平成七）年度

青年市長坂本祐之輔氏は、就任後初の施政方針で「生活重視・福祉優先」を基本理念に「人と環境にやさしいまちづくり」をめざすことを表明し、精力的に新たな施策を展開しました。

市長が変われば、当然のことながら人事も組織も変わります。東松山市もその例外ではなく、当時の特別職である助役、収入役は交代し、十月には組織改革が行われました。新たな組織では、女性施策を専門に所管する「女性施策推進室」、福祉政策の中枢を担う「ハートピア推進室」、そして、広聴専門の部署である「市民の声係」が設置されました。

当時、広報を担当していた私は、取材活動の毎日を送っていました。花の育て方、健康法、赤ちゃん、障害のある方たち、介護の現場、ごみ処理施設、市民プール…、いろいろなところへ出かけ、多くの市民の皆さんと交流しました。

新たに設置された広聴専門の「市民の声係」は新鮮でした。取材活動を通して、私は広聴業務の重要性を肌で感じていました。そんな折、広く市民の意見を聴こうとする坂本市長の政治姿勢にシンパシーを感じました。

芝﨑市政は、「人を育てる」ことに重きを置きました。坂本市政は、「人を活用する」ことにこだわりました。「人材育成」の芝﨑市政から「人材活用」の坂本市政へと、人事に対するパラダイムがシフトする瞬間を、身をもって体験しました。

## １９９５（平成7）年度

市　長：坂本祐之輔／助　役：福田　實／収入役：吉田隆次
教育長：小川　正
議　長：野口荘二（5月～）／副議長：阿部文彌（5月～）
人　口：91,323 人／世　帯：29,744 世帯
職員数：725（内市民病院：194 人）
総予算：431 億 5,966 万円
（一般会計予算：236 億円）　※4/1 現在

＜主な出来事＞

| | |
|---|---|
| 4月 | 財務会計オンラインシステム導入 |
| | ふれあいの橋（総合会館ー立体駐車場）完成 |
| | 県議会議員選挙が行われ、堀口真平氏当選 |
| | 市議会議員選挙が行われ、27 人が決定 |
| | 「高齢者事業団」を「生きがい事業団」に名称変更 |
| 5月 | 市民懇談会開催 |
| 6月 | 第１回ごみ対策市民会議開催 |
| 7月 | 中学生海外派遣事業開始 |
| | 第１回夢咲きフォーラム開催 |
| | 市民プール送迎用無料バス運行 |
| | 都幾川リバーサイドパークソフトボール場オープン |
| 9月 | たかさか保育園完成。市庁舎分室完成 |
| １０月 | レスパイトサービス事業開始 |
| １１月 | 丸木位里・俊夫妻県民栄誉章受章 |
| １２月 | 南地区（現高坂）市民活動センターオープン |
| | 広報紙面に市長のコラム「一灯照隅」コーナー設置 |
| 1月 | 24 時間巡回型ホームヘルプサービス事業開始 |
| | 市長に手紙を出す月間（295 通＝414 件が寄せられる） |
| | 優良地方公共団体として自治大臣賞受賞 |
| 3月 | 西本宿不燃物埋立地上流部完成 |

在職 13 年目：秘書室秘書課広報広聴係主任→企画財政部広報広聴課主任

## 随想録❷

# ふれあいの橋

一九九五（平成七）年四月、総合会館と立体駐車場を結ぶ歩道橋、通称「ふれあいの橋」が完成しました。完成からちょうど一年が経とうとしていた年度末の一九九六（平成八）年三月、この「ふれあいの橋」を巡りひと騒動ありました。

騒動の原因は私でした。

歩道橋である「ふれあいの橋」は、下を通る県道を安全に渡るために東松山市の要望を受け入れ、県が設置したものでした。立体駐車場側のエレベータ三階出入口の歩道橋の袂となるスペースには、お洒落な方位盤が設置されていました。直径二・五メートルの円形で、東西南北の方位の周りに乙女座や獅子座など、十二の星座名とイラストが描かれた大理石製の方位盤です。費用は三百四十万円ということでした。

私は、この方位盤を見た瞬間、違和感を抱きました。それは、長年この地に住んでいる者の一種の「直感」のようなものでした。方位盤の指す方位が、どう見ても私の中の羅針盤と異なるのでした。私は、その方位盤を見るにつけ「方位が違っているんじゃないか…」と思っていましたが、暫くそれを口に出すことはできないでいました。

そんな折、他愛もない世間話から、当時の市の幹部職員の一人が私と同じ感覚を抱いていることを知りました。その幹部職員は、小学校から高等学校まで同じ学校に通った私の大先輩でした。私以上に東松山市に精通していました。

私はそのことで大いに自信を得て、年末になって一人でそれを確かめる行動に出ました。素人の簡素な方位針での計測値でしたが、三十度から四十度くらいの幅でずれていることがわかりました。広報担当の職員である私が方位盤のことを話題にすると、新聞記者の一人が興味を持ち記事にしました。一九九六(平成八)年三月四日と六日の毎日新聞に記事が掲載されました。測量調査の結果、三十三度ズレていることが判明しました。

結局、この記事が掲載されたことにより、埼玉県は方位盤を改修しました。

私は、三月四日の記事が出た際に「修理するのではなく、ズレを前面に出して『ピサの斜塔』のようにPRすればいい」「看板を立ててミスをジョークとして売り出せば粋なのに」「発想の転換がほしい」などと言ったのですが、その言葉は、そのまま六日の記事に掲載され、県は方位盤をそそくさと改修してしまいました。

数日後、私は、東松山市役所の土木担当部長が、私の非礼を謝罪するため埼玉県へ出向いたことを聞き、申し訳ない気持ちでいっぱいになりました。私を応援してくれた大先輩の幹部職員は、私に笑顔でこう言って慰めてくれました。

「西澤君、君は間違っていることを指摘したんだよ。正しい行為だ。気にするな」

私は、自分のことを正当化してくれる大先輩の言葉に涙がこぼれそうになりました。

## ◇一九九六（平成八）年度

「丘陵と緑と澄み切った青空につつまれた田園文化都市」をめざす。

新たに策定された「第三次総合振興計画」は、東松山市の向こう十年間の将来像をこう示しました。そして、具体的な目標として次の五つを基本目標と位置付けました。

**一　生きがいのもてるスポーツ・健康・福祉都市**
**二　安全な快適環境都市**
**三　国際性豊かな文化創造都市**
**四　活力ある自立産業都市**
**五　市民とあゆむ手づくり都市**

坂本市政は、市の将来像という大枠においては前市長の芝﨑市政を継承しました。そして、将来像には「田園都市」から「田園文化都市」と「文化」の二文字が加えられました。

「文化とは、暇つぶしである」とコラムニストの故天野祐吉氏が東松山市での講演で話されましたが、日常生活の幅を広げ、「余裕」や「息抜き」や「楽しみ」のある市民生活を夢見て、坂本市長は「文化」の二文字を市の将来像に加えたに違いありません。

この年、東松山市はオランダ王国ナイメーヘン市と国際姉妹都市を提携しました。ウオーキングによる国境を超えた長年の交流が実を結びました。

## 1996（平成8）年度

市　長：坂本祐之輔／助　役：福田　實／収入役：吉田隆次
教育長：小川　正
議　長：成川　実（6月～）／副議長：清水郁夫（6月～）
人　口：91,305人／世　帯：29,922世帯
職員数：757人（内市民病院：207人）
総予算：431億2,358万円
（一般会計予算：230億円）　※4/1現在

### <主な出来事>

| | |
|---|---|
| 4月 | 第3次東松山市総合振興計画施行 |
| | 市野川雨水ポンプ場完成 |
| | 北地区体育館オープン |
| 7月 | オランダ王国ナイメーヘン市と姉妹都市提携 |
| | カジュアルマンデー実施 |
| 9月 | ウォーキングセンターオープン |
| | 花と歩けの国際平和都市宣言 |
| | 民主党結成 |
| 10月 | 365日配食サービス開始 |
| | 在宅障害者生活支援事業開始 |
| 12月 | 第3回夢咲きフォーラム開催 |
| 1月 | 市長に手紙を出す月間（248通＝330件が寄せられる） |
| 2月 | 高坂駅にエスカレータ設置 |
| 3月 | 東松山駅にエスカレータ設置 |
| | からこ保育園完成 |
| | 国道254号東松山バイパス野本区間開通 |
| | 広報紙700号発行 |

在職14年目：企画財政部広報広聴課広報係主任

## ◇一九九七（平成九）年度

「不透明」「不確実」「混迷」の状況を呈する世の中だからこそ、市民の英知と情熱を結集し、個性豊かな地域社会を創造していくことが「真の地方自治」であると、私は確信しています！

坂本市長は、年度当初の施政方針で市民にこう訴えました。

そして、人と環境にやさしいまちづくりを推進するために、美しく住みよい環境づくり基本条例の施行、ごみの五分別収集と新たな環境への取り組みを展開するとともに、ナイトケア事業、認知症老人のためのグループホームの開設など福祉政策に積極的に取り組みました。

広報担当の私は、国際姉妹都市であるオランダ王国ナイメーヘン市で七月に開催された国際フォーデーズマーチへ参加させていただきました。三十キロメートルを四日間、足にマメを八つもつくりながら、首からカメラをぶら下げて完歩してきました。

十一月の日本スリーデーマーチは第二十回記念大会で、当時、百歳を超える双子の姉妹として有名だった「きんさん・ぎんさん」を当市に招きました。腰の曲がった双子のお婆さん二人がスコップを握り、市役所前庭に淡墨桜（うすずみざくら）を植樹しました。百歳とは思えないくらい力強く植樹されたのが印象的でした。

光栄にも、私はその際のカメラマンを務めさせて頂き、スコップを握る彼女たちの息遣いを感じることができました。あれから、もうすぐ四半世紀が経過します。二本の淡墨桜は大樹となり、今も市役所前庭で市民に憩いの場を提供しています。

## 1997（平成9）年度

市　長：坂本祐之輔／助　役：福田　實／収入役：吉田隆次

教育長：小川　正

議　長：堀口　茂（6月～）／副議長：嶋本正雄（6月～）

人　口：91,492人／世　帯：30,395世帯

職員数：777人（内市民病院：218人）

総予算：465億1,213万円

（一般会計予算：234億5,000万円）　※4/1現在

＜主な出来事＞

4月　美しくみよい環境づくり基本条例施行
学校給食センター完成
都幾川リバーサイドパークオープン
市役所内にファイリングシステム本格導入
消費税増税（3%から5%に）

6月　市営向台住宅(第1期50戸)完成
ナイトケア事業開始

7月　ごみの5分別収集開始。ナイメーヘン市への市民派遣
英国から中国に香港返還

8月　芝﨑亨氏に名誉市民の称号を贈る
第5回夢咲きフォーラム開催

9月　市役所庁舎前東側駐車場を広場に改修

11月　第20回日本スリーデーマーチ記念大会
（姉妹都市提携記念碑建立）

1月　埋蔵文化財センターオープン

2月　※痴呆性老人グループホーム「しんめい」開設
※「痴呆性」は現在の「認知症」。当時の呼称のまま表記
第6回夢咲きフォーラム開催

3月　国際交流協会設立。堀口真平氏県議会議長就任
東中学校で生徒刺殺事件発生

在職15年目：企画財政部広報広聴課広報係主任

随想録❸

## 広報記事「投げ捨て・ポイ捨て」

一九九七（平成九）年、広報ひがしまつやま六月一日号に「投げ捨て・ポイ捨て」の特集記事が掲載されました。当時、広報担当だった私の書いた拙い記事でした。

すると、同月二十日の埼玉新聞の表紙を飾る「さきたま抄」の欄に当該記事が取り上げられていました。私の書いた記事の結びが、そのまま「さきたま抄」の結びにも掲載されていました。

一部省略しますが、原文を掲載します。

車を運転していて不快に思うのは、車線分離帯に散乱している空き缶、ポリ袋などのごみの山だ▼ポイ捨て禁止が言われ出してから久しいが、依然として改められた様子はうかがえない。自治体によっては罰金制度を設けたところもあると聞く。（省略）▼東松山市の広報紙が「投げ捨て・ポイ捨て」を特集している。（省略）▼「未来小説に、包装紙や容器が水に溶ける物質でできていて、道端や駅、公園や川原、どこに投げ捨てても雨が降ると溶けてしまい、いつも街はきれい、というのがある。しかし、そんな重宝なものがない以上、何らかの対策を講じ、行動を起こさないといけない」（同紙）▼人間の悪い行動を正すのも人間の良い行動だ。行動からしか「ごみゼロ」への展望は開けない。行動といっても一人だってできる行動だ。そんなに難しいことではない。やってみようではないか。

と「さきたま抄」は結んでいました。

広報紙でごみ対策への「行動」を東松山市民に呼びかけた記事が、埼玉新聞を通して市域を超えて多くの読者に呼びかけられました。記事を書いた私にとって、これほど嬉しく、心強い気持ちになったことはありませんでした。

九万市民の目に触れる特集記事を書くことは、広報担当者の最大のプレッシャーではありますが、担当者として一人前となった証でもあります。それに加えて、「さきたま抄」に掲載され、さきたま抄の執筆者と私の感性が同じだったことは、何よりも当時の私にとっての自信となりました。

それから十八年後の二〇一五（平成二十七）年、私は、環境産業部生活環境課長（翌年は、廃棄物対策課長）となりました。

ごみの担当課長として二年間、現場をしっかりと見つめながら「行動」することができました。苦情やクレームの多い職場で、精神的負担も大きな仕事でしたが、苦しいときに、この記事を取り出して読み返すと活力が湧きました。

今も、一九九七（平成九）年六月二十日の埼玉新聞「さきたま抄」は、私の宝物として大切に保管しています。

## ◇一九九八（平成十）年度

前年度末の三月九日、東中学校でナイフによる生徒刺殺事件が発生しました。新聞やテレビで連日報道され、市内に大きな衝撃が走りました。何よりも、当時東中学校に在籍していた生徒たちにとっては、多感な心が大きく揺れ動いた出来事でした。

この事件を受けて、四月には「青少年健全育成のための市民集会」が東松山文化会館（現東松山市民文化センター）で開催され、一，二〇〇席ある会場は満席となりました。席上、当時の東中学校の生徒会長は、こう誓いました。

**ぼくたちは忘れない。〇〇君の死を。…**
**ぼくたちは忘れない。命の大切さを、重さを、尊さを。**
**…ぼくたちは、絶対に人に暴力をふるわない。**
**…いじめを許さない。**
**…将来、心の温かい人間になります。**
**そして、自分の命を大切に、優しさを忘れません。**（広報紙から抜粋）

市でも、この事件を特集記事として広報紙に掲載するとともに、「青少年をナイフ等の危害から守り東松山市を明るく住みよいまちにするための条例」を制定しました。

学校現場で起きた非常に衝撃的な事件に対して、当時は、教育関係者だけでなく多くの市民が参加して熱い議論を交わし、真正面に取り組みました。

## 1998（平成10）年度

市　長：坂本祐之輔／助　役：福田　實／収入役：吉田隆次

教育長：小川　正

議　長：鷺澤秀夫（6月～）／副議長：市川健夫（6月～）

人　口：91,746人／世　帯：30,871世帯

職員数：790人（内市民病院：219人）

総予算：509億7,870万円（＊初めて500億円を超える）

（一般会計予算：241億4,000万円）　※4/1現在

＜主な出来事＞

| | |
|---|---|
| 4月 | 市内循環バス運行開始 |
| | 青少年健全育成のための市民集会開催 |
| | 東松山ぼたん園拡張オープン |
| | 弓道場オープン |
| | 屋内ゲートボール場オープン |
| 5月 | 高坂丘陵地区センターにオンライン窓口開設 |
| | 市内社会人サッカーリーグ「ＪＯＹリーグ」開幕 |
| 6月 | 市民福祉プラン策定 |
| | 行政協力委員地区代表者宅にファックス設置 |
| 7月 | 市長選挙、坂本祐之輔氏無投票２選 |
| | ナイメーヘン市へ市民派遣 |
| | 世界初のクローン牛石川県で誕生 |
| | （前年３月英国で世界初のクローン羊誕生） |
| 8月 | 第7回夢咲きフォーラム開催 |
| 9月 | 議員定数を「27人」から「25人」へ |
| 10月 | 生きがい事業団20周年記念式典開催 |
| 1月 | 欧州通貨統合でユーロ誕生 |
| 3月 | まつやま保育園完成 |
| | 第8回夢咲きフォーラム開催 |

在職16年目：企画財政部広報広聴課広報係主任

随想録❹

## 東中学校生徒刺殺事件

一九九八（平成十）年三月九日、東中学校でナイフによる生徒刺殺事件が発生しました。この事件は、当時、新聞紙上やテレビで連日報道され、市民にとっては非常に衝撃的な事件でした。

この事件を受けて四月四日、東松山文化会館（現東松山市民文化センター）で「青少年健全育成のための市民集会」が開催されました。一，二〇〇席ある会場は満席でした。

会場は、重々しい雰囲気に包まれていました。中学生の意見発表、東中学校生徒会長の誓いの言葉、講演、そして、最後に集会宣言が採択されました。全ての内容が、会場を訪れた人々の心に響きました。

広報の特集記事では、市内の小学五、六年生と中学一、二年生の百人を対象にアンケート調査を行い、その結果を分析しました。

すると、現代のけんか事情の中から「いつまでも忘れず根に持ち続ける陰湿性」や「遊びの中でのけんかのルールの欠如」など、現代の子ども社会の特徴が浮かび上がりました。

広報の紙面で、大人たちへ向けて、「こういうときこそ、冷静になって言動を慎む」のではなく「こういうときだからこそ、大人も子どもも大いに動揺して、熱い心と冷静な頭で議論し、子どもたちが明るく伸び伸びと育っていける社会を目指して具体的に行動していくことが大切だ」と訴えました。

けんかのルールを学ぶことの大切さを指摘するとともに、今、子どもたちに一番必要なのは「心の栄養」、すなわち「ゆとり・遊び」ではないか、と大人たちに問い掛けました。

また、この東中でのナイフによる生徒刺殺事件を「現代社会の表面にあふれ出てきた、子どもたちからの警鐘、子どもたちの叫び」としました。そして、この事件を「大人たちがどう受けとめ、どう解決していくのか。私たち大人に出された、子どもたちからの大きな宿題」と結びました。

担当した私の主観と情熱が入り過ぎた記事内容でしたので「ボツ」も覚悟しましたが、上司からは何の修正もなく了承されました。

「小・中学生は今…」と題して掲載されたこの広報紙の特集記事は、五月十七日の埼玉新聞の冒頭を飾る「さきたま抄」にも掲載されました。

この事件から十八年後の二〇一六（平成二十八）年八月、都幾川河川敷で少年死亡事件が発生しました。このとき、市は事件に係る全てを教育委員会に任せました。教育委員会は、専門家による会議を設置して事件を「処理」しました。

命に対する市や教育委員会の姿勢に温度差を感じたのは、私だけでしょうか…。

## ◇一九九九（平成十一）年度

坂本市政の根幹は「人と環境にやさしいまちづくり」でした。前年、二期目を無投票で再選された坂本市長は、一期四年の間に展開してきた福祉政策に加え、二十一世紀を目前にして環境問題に取り組む姿勢を強化しました。

ダイオキシン問題に揺れたこの年、市では、広報紙で特集記事を組んで調査結果を公表するとともに、河川の水質、大気、騒音・振動等の環境調査結果も掲載し、市民意識の喚起を促しました。そして、年が明けた一月十二日、「環境方針」を策定し、市民へ向けてその基本理念を次のように示しました。

…市民の財産である豊かな環境を…、次世代へ引き継いでいくため、地域が…循環型社会を築いていくことが…、地球環境問題の解決に貢献していく…と考えます…

環境問題をグローバル（地球規模）に捉えたうえで、市としてできることをローカル（地域的）に取り組んでいこう、という内容でした。

十月には、情報公開制度が導入されました。市役所が保有する公文書を市民へ開示することで、対等で民主的な議論を喚起し、市民が行政に参加する社会をつくることが目的でした。新しい制度の導入を見届けるかのようにして、第三代東松山市長である芝﨑亨氏が亡くなりました。

この年、私は五年間携わった広報係から企画調整係へと職場が異動となりました。

## 1999（平成 11）年度

市　長：坂本祐之輔／助　役：福田　實／収入役：吉田隆次

教育長：小川　正

議　長：清水郁夫（5月～）／副議長：嶋野憲治（5月～）

人　口：91,619 人／世　帯：31,158 世帯

職員数：802 人（内市民病院：219 人）

総予算：467 億 7,935 万円（＊前年の 500 億円超えからダウン）

（一般会計予算：260 億 6,000 万円）　※4/1 現在

＜主な出来事＞

4月　障害者支援センター「ケアサポートいわはな」開設
　　県議会議員選挙が行われ、堀口真平氏が当選
　　（投票率 49.71%）
　　市議会議員選挙が行われ、25 人が決定
　　（投票率 65.55%）
　　市民憲章推進協議会設立 20 周年記念式典開催
　　第 10 回市民憲章推進フェア記念式典
5月　ホタルの里づくり検討委員会設立
6月　男女共同参画社会基本法成立
7月　市制施行 45 周年記念行事開催
　　ナイメーヘン市へ市民派遣
　　南地区体育館完成
8月　東松山陸上競技場オープン
10月　情報公開制度開始
　　名誉市民芝﨑亨氏逝去（68 歳）
1月　環境方針策定

在職 17 年目：企画財政部企画課企画調整係主任

## ◇二〇〇〇（平成十二）年度

国の「お方」に、県の「人」、ついでに言えば市の「ヤツラ」…。

これは、私が市役所に入庁した頃、公務員の序列、即ち「権力の大小」や「偉さ」を表すのに用いられていた隠語です。

この年の四月に施行された「地方分権の推進を図るための関係法律の整備等に関する法律（通称：地方分権一括法）」施行以前は、国・県・市町村という公務員の世界には、前述の隠語のような明確な「国↓県↓市町村」という上下関係がありました。

しかし、地方分権一括法の施行により、国も県も市町村も「法律上」は、対等で平等な関係になりました。

私は、この地方分権改革を市役所の最前線で体験しました。地方分権一括法により四七五の法律が改正され、市町村で行っていた国の事務、即ち機関委任事務は法定受託事務とされ、国が市町村にお願いして行う事務とされました。正に、天と地が入れ替わったような感覚でした。

この後、市町村には「権限移譲」の名目で、県の事務の多くが市町村に「委譲」されてきました。対等・平等の関係なら、市の「ヤツラ」でもできるだろう…、という考え方だったのかもしれません。たくさんの仕事が、一気に「委譲」されてきました。

ダブついた県の職員は、出向の名目で市町村の幹部職をあてがわれ二、三年すると戻っていきました。実質、公務員の序列に大きな変化は見られませんでした。

## 2000（平成12）年度

市　長：坂本祐之輔／助　役：福田　實／収入役：吉田隆次

教育長：小川　正→大曽根一惠（10月～）

議　長：加藤正三（6月～）／副議長：西川　實（6月～）

人　口：91,557人／世　帯：31,551世帯

職員数：829人（内市民病院：229人）

総予算：497億8,366万円

（一般会計予算：264億3,000万円）　※4/1現在

＜主な出来事＞

| | |
|---|---|
| 4月 | 地方分権の推進を図るための関係法律の整備等に関する法律（地方分権一括法）施行<br>市民文化センター（旧東松山文化会館）リニューアルオープン<br>市民健康増進センターオープン<br>こども動物自然公園開園20周年 |
| 7月 | 日蘭交流400年<br>中学生30人を海外派遣<br>金融庁発足。２千円札発行 |
| １０月 | 総合福祉エリアオープン<br>向台市営住宅（2期60戸）完成<br>紙ごみ減量化対策として市役所に「たまって箱」設置 |
| １１月 | 環境ホルモンによる健康被害対策として給食用の食器を強化磁器製に変更 |
| １２月 | ＩＳＯ14001認証取得 |
| １月 | 中央省庁再編（1府12省に） |
| ３月 | わかまつ保育園完成<br>南中学校屋内運動場完成 |

在職18年目：企画財政部企画課企画調整係主任

## ◇二〇〇一（平成十三）年度

私は、市長就任以来「生活重視・福祉優先」を市政の基本理念に掲げ、障害のある方もそうでない方も、共に暮らしを分け合い、心豊かに安心して暮らすことのできる「ノーマライゼーション」のまちづくりを進めてきました。

二十一世紀を迎え、日本の未来を担う子どもたちが、家庭はもとより地域や学校においても、健やかに暮らすことのできる社会をつくることが、私たちに課せられた重要な使命であると考えます。また、地方分権が推進され、地域がそれぞれの特色をいかしたまちづくりを進めるためには、市民の皆さんと行政が同じ目標を持ち、一体となって進めていくことが必要です。そのためには、市民の皆さんの行政参加が望まれます…。

二十一世紀最初の施政方針で、坂本市長は市民にこう呼びかけました。地方分権が高らかに叫ばれる世の中において、情報を積極的に開示し、市民と一緒にまちづくりを進める手法が、最も民主的であるとの判断からでしょう。

情報公開制度に遅れること一年半、個人情報保護制度もスタートさせた坂本市政は、広く「聴く耳」を持って二十一世紀の東松山市政をスタートさせました。

私事ですが、大学のゼミで私は憲法を専攻しました。ゼミでの論文のテーマは「情報公開とプライバシー」でした。大学を卒業して二十年近くが経過して、ようやく、東松山市に情報公開条例と個人情報保護条例が整備されました。

## 2001（平成13）年度

市　長：坂本祐之輔／助　役：福田　實／収入役：吉田隆次

教育長：大曽根一惠

議　長：嶋本正雄（6月～）／副議長：坂本俊夫（6月～）

人　口：91,565人／世　帯：31,950世帯

職員数：824人（内市民病院：226人）

総予算：505億4,975万円

（一般会計予算：257億5,500万円）　※4/1現在

＜主な出来事＞

4月　市役所組織改革（14部を9部へ）
個人情報保護制度開始
なんでも相談室開設
きらめき市民大学条例制定
敬老祝金支給条例制定
第3次総合振興計画後期基本計画開始
第3次行政改革大綱開始
6月　南中学校校舎完成
7月　ファミリー・サポートセンターオープン
9月　アメリカ合衆国で同時多発テロ発生
10月　きらめきクラブまつにオープン
きらめきクラブからこオープン
市役所内に事務事業評価システム導入
第2回環境フェア開催
3月　いちのかわ保育園完成
東松山駅西口公衆トイレ「西口爽やかさん」完成
ジュニアスキー教室開催

在職19年目：総務部政策推進課政策調整係兼行政改革担当主査

## ◇二〇〇二（平成十四）年度

「市町村の合併の特例に関する法律」は、二〇〇五（平成十七）年三月までに合併した市町村に対して、財政的支援等をすることで市町村合併を促しました。

この年、青年会議所を中心に市民の間に市町村合併の話に火がつきました。坂本市長は急遽、比企地域の合併協議に必要な資料の作成を我々職員に命じました。

当時の私は、政策推進課政策調整係兼行政改革担当という長い肩書で仕事をしていましたが、特命を受けて「比企地域合併協議会」の設立に向けた職務を命じられました。「比企は一つ」を合言葉に合併協議の場が整いました。

また、サッカー界ではサッカーワールドカップ大会が、日韓共催で開催されました。サッカーを愛し続けている私にとって、そして、日本中のサッカーファンにとって、日本でサッカーワールドカップ大会が開催されること自体が「夢のまた夢」でした。

幸運なことに、埼玉スタジアム2〇〇2で行われたゲームを、妻と二人の息子たちとともに観戦することができました。テレビ画面で観戦するよりずっと小さく見える選手たちでしたが、会場を埋め尽くしたサッカーファンの熱気と会場でしか味わえない興奮は、生涯忘れ得ぬ思い出となりました。

一方、北朝鮮に拉致された五人の日本人が帰国できたニュースも衝撃的でした。拉致された人たちが順次帰国できるのか…、という期待感が日本中に広がりました。

しかし、残念なことに二十年近くが経過した今も状況は一向に変わりません。

## 2002（平成14）年度

市　長：坂本祐之輔／助　役：福田　實／収入役：吉田隆次

教育長：大曽根一恵

議　長：恒木弘治（6月〜）／副議長：森田光一（6月〜）

人　口：91,264人／世　帯：32,798世帯

職員数：839人（内再任用：3人、市民病院：225人）

総予算：498億1,708万円

（一般会計予算：247億円）　※4/1現在

＜主な出来事＞

4月　きらめき市民大学開校
　　　市内循環バス路線一部変更
　　　坂本市長、県体育協会副会長に就任
5月　住まいづくり体験館オープン
　　　自転車等の放置の防止に関する条例制定
　　　第34回合同金婚式開催
　　　日韓共催ワールドカップサッカー大会開催（〜6月）
7月　市長選挙、坂本祐之輔氏無投票3選
8月　住民基本台帳ネットワークシステム運用開始
　　　野本コミュニティセンターオープン
9月　日朝平壌宣言（→10月　拉致被害者5人帰国）
10月　大岡市民活動センターオープン
11月　第25回日本スリーデーマーチ記念大会
2月　市民意識調査結果公表
3月　国道254号唐子バイパス開通

在職20年目：総務部政策推進課政策調整係兼行政改革担当主査

## ◇二〇〇三（平成十五）年度

五年の時限立法である「市町村合併特例法」の期限が残すところ二年と迫るなか、東松山市は比企地域に秩父郡東秩父村を加えた四町三村、計八市町村での合併協議を開始しました。

関係町村から一名又は二名、東松山市は私を含め四名の職員を派遣し、総勢十五名の専従職員で東松山市役所庁舎の地下一階に比企地域任意合併協議会事務局が置かれました。

この年は統一地方選挙の年で、四月には県議会議員選挙と市議会議員選挙が立て続けに行われました。統一地方選挙が一段落した五月二十一日、第一回の比企地域任意合併協議会が開催されました。

この席で滑川町と嵐山町の両町長が「合併協議からの離脱」を表明し、二か月も経たないうちに比企地域任意合併協議会は解散となりました。

この瞬間、多くの人が思い描いた「比企は一つ」の夢は儚く散りました。

歴史において「たら」「れば」の話は意味のないことですが、「もし、比企地域の八市町村が合併していたら…」、埼玉県の中央部に人口約二十万人、面積約三百平方キロメートルの「比企市」が誕生していたことでしょう。それは、山と丘陵、水源と河川、都市と田園、歴史的遺産や文化、消防業務、ごみ処理施設、それら全てを兼ね備えた理想的な都市だった、と個人的には思っています。

首長の判断は、未来のまちの姿やそこ住む人たちの生活に大きな影響を及ぼします。

## 2003（平成15）年度

市　長：坂本祐之輔／助　役：福田　實／収入役：玉貫武一
教育長：大曽根一恵
議　長：嶋野憲治（5月～）／副議長：鷺澤義明（5月～）
人　口：91,252人／世　帯：33,195世帯
職員数：840人（内再任用：4人、市民病院：226人）
総予算：508億8,405万円
（一般会計予算：246億1,000万円）　※4/1現在

＜主な出来事＞

4月　比企地域任意合併協議会設置（1市4町3村）
　障害者就労支援センター「ザック」開設
　きらめきクラブいちのかわオープン
　県議会議員選挙が行われ、森田光一氏当選
　（投票率47.94％）
　市議会議員選挙が行われ、25名が決定
　（投票率65.55％）
　SARS（重症急性呼吸器症候群）を新感染症に指定
5月　比企地域任意合併協議会解散
6月　広報紙でSARS注意喚起
　環境まちづくり宣言（衛生都市宣言廃止）
9月　市議会にて吉見町との合併推進に関する決議
10月　第4回環境フェア開催。合併懇談会（～11月）
11月　東松山市・吉見町合併協議会設置
12月　合併協議会第1回会議開催
　バランスシート公表
1月　総合教育センターオープン

在職21年目：総務部政策推進課比企地域任意合併協議会事務局主査
→総務部政策推進課主査→教育部国民体育大会事務局主査

## 随想録⑤

私たちのまち東松山市は、永い歴史と高い文化につちかわれた、自然性ゆたかな美しいまちです。この東松山市をすべての人々がそれぞれの分野で力をあわせて、健康で衛生的な住みよいきれいなまちにすることを誓い、ここに「衛生都市東松山」を宣言します。

### 「宣言文」の思い出

これは、一九七五（昭和五十）年六月に制定された「衛生都市宣言」です。

同年三月三日、東松山市内の飲食店で発生した赤痢は、瞬く間に約八百人もの市民を巻き込む集団感染を引き起こしました。このことを教訓に、二度と同じ過ちを繰り返すことのないよう後世へ伝承したのが「衛生都市宣言」です。

芝﨑亨氏が第三代東松山市長に就任して一年も経たないうちの出来事でしたが、五月に終息宣言を出すと、翌六月に市の内外へ向けて発したのがこの宣言でした。

私が入庁した一九八三（昭和五十八）年当時、東松山市の宣言文は、この「衛生都市宣言」だけでした。その後、一九八四（昭和五十九）年九月に「人権尊重都市宣言」、一九九六（平成八）年九月に「花と歩けの国際平和都市宣言」、そして、二〇〇三（平成十五）六月に「環境まちづくり宣言」が制定されました。

先の「衛生都市宣言」は、二〇〇三（平成十五）年六月の「環境まちづくり宣言」に包含される形で廃止されました。

宣言の廃止は、赤痢発生当時中学生だった私にとって、学校の体育館が隔離病棟になった記憶に封印するような出来事でしたので一抹の寂しさを感じました。

また、一九九六(平成八)年九月の「花と歩けの国際平和都市宣言」にも思い出があります。それは、宣言文が制定されてから十年近くが経過した頃のことでした。

先輩職員から、「『歩け』という言葉には、命令的なニュアンスがあり、古めかしいので、『花とウォーキングの国際平和都市宣言』に変えたい」、と相談されました。当時、私は条例や規則の制定・改廃を担当し、宣言文の制定や廃止に関しても所管業務でした。

私は、相談された先輩職員に、「そもそも宣言文というのは、時代の世相や当時の市民の願い、誓いが込められているものですので、特段の理由がない限り内容の一部を変えるような性質のものではないのではないでしょうか」と、その場では宣言文の主旨や目的を説明し、文言を変更することが妥当でない旨を伝えました。

しかし、何とか先輩の意向に応えようと頭をひねり、ようやくたどり着いたのが、「歩け」と書いて「ウォーキング」と読ませる、というものでした。これなら、宣言文を変えずに「ウォーキング」という意味がストレートに伝わります。

早速、担当の先輩職員にこの案を伝えたところ快諾されました。

以後、この宣言文を活字にする際には「歩け」の文字に「ウォーキング」のルビが振られるようになりました。

## ◇二〇〇四（平成十六）年度

国では、地方公共団体に対する行財政システムの見直しが急ピッチで行われていました。「国庫補助金の廃止・縮減」「税財源の移譲」「地方交付税の見直し」を同時並行的に行う「三位一体の改革」が推進され、地方自治体には「地方分権」「地方の自立・自律」という掛け声の下で、国からの財政的支援が大幅に縮減されることとなりました。

地方政府の担い手として「自立」できる真の地方自治の確立を推進するために制定された「合併特例法」の期限が一年後に迫っていました。この期限に地方自治体は尻を叩かれ、振り回されました。東松山市もその例外ではありませんでした。

比企地域での合併が破談した前年五月から半年が経過し、法定期限が一年五か月と迫った前年十一月、東松山市は吉見町との一市一町の合併を視野に再度合併協議に舵を切りました。

しかし、整いつつあった合併協議の最中、吉見町は大型公共事業の着手や職員の昇格・昇給等を短期間のうちに行うなど、財政的負担の大きな事務や事業を展開し、合併協議に水を差しました。

こうした不信感から、東松山市は約十一か月に及んだ合併協議から離脱しました。これにより、東松山市の合併協議は全て水泡に帰しました。

他方、国民体育大会や障害者スポーツ大会が市制施行五十周年の行事を飾りました。

## 2004（平成 16）年度

市　長：坂本祐之輔／助　役：福田　實／収入役：玉貫武一
教育長：大曽根一恵
議　長：西川　實（6月～）／副議長：松坂喜浩（6月～）
人　口：90,990 人／世　帯：33,509 世帯
職員数：828 人（内再任用：6 人、市民病院：216 人）
総予算：522 億 6,877 万円
（一般会計予算：263 億 8,000 万円）　※4/1 現在

＜主な出来事＞

4月　きらめき市民大学大学院開校
　　　きらめきクラブたかさかオープン
7月　市制施行 50 周年記念式典開催
9月　東松山市・吉見町合併協議会から離脱
　　　第 28 回おとしよりを敬愛する集い開催
　　　社会福祉協議会設立 30 周年
　　　第 36 回合同金婚式開催
　　　第5回環境フェア開催
　　　国民体育大会へ向けて「参身1体運動」（「いい花咲かせ隊」「落書き消し隊」「ポイ捨てなくし隊」による市内環境美化運動）を展開
10月　新潟県中越地震発生
　　　第59回国民体育大会バスケットボール少年男子開催
　　　自転車競技ロードレース開催
11月　第4回障害者スポーツ大会（知的障害者サッカー）開催
1月　日本郵政株式会社発足
2月　京都議定書発効
3月　市民プール廃止

在職 22 年目：教育部国民体育大会事務局主査→市民生活部市民課主査

## ◇二〇〇五（平成十七）年度

「民間でできることは民間で…」を掛け声に、市役所内部にも外部委託（アウトソーシング）や民間を参考とした事務事業の流れが押し寄せました。同時に、非採算事業の見通しも進められました。

市民プールは、その典型でした。年間維持管理経費と利用料との採算が取れないこと、民間にもできること、この二点を理由に、一九七四（昭和四十九）年から三十年余りもの間、子どもたちに親しまれた夏のメッカ、思い出の場所が廃止されました。

市役所の組織も、係制からグループ制へと縦割色を払拭し、フラットな組織への変革を図りました。職員の制服も廃止され、自前のスーツやブラウス姿での執務となりました。当初は、「市民と職員の区別がつかない」などの声も挙がりましたが、時代の潮流がそれらの声を押し流していきました。

業務時間も市民ニーズに応える形で、住民票や戸籍に関わる事務、国民年金や国民健康保険の業務を日曜日にも実施しました。いわゆる、「市役所のコンビニ化」です。また、少子化対策として、子育て支援センターの開設や乳幼児医療費の無料化などを進めました。

更に、地域省エネルギービジョンを策定し、大型のソーラーパネルを松山第一小学校の屋上に設置するなど、省エネや環境配慮への意識啓発事業を推進しました。

他方、地方交付税の縮減等により財政事情が厳しくなった状況に対応するため、行財政改革が断行され、高坂丘陵地区に二つあった小学校は一つに統合されました。

## 2005（平成 17）年度

市　長：坂本祐之輔／助　役：福田　實／収入役：玉貫武一

教育長：大曽根一恵

議　長：吉田大志（6月～）／副議長：榎田達治（6月～）

人　口：90,417 人／世　帯：33,640 世帯

職員数：818 人（内再任用：6 人、市民病院：218 人）

総予算：546 億 9,164 万円

（一般会計予算：241 億 5,000 万円）　※4/1 現在

### ＜主な出来事＞

4月　職員の制服廃止
　　係制を廃止しグループ制導入
　　子育て支援センター「ソーレ」オープン
　　滑川高校西通線整備事業における不適正な事務処理の監督責任として市長・助役の報酬を 10 分の 1、2 か月減給
6月　カジュアルマンスを廃止し、クール・ビズ実施
9月　日曜窓口開設（毎週一日：市民課・保険年金課）
　　地域省エネルギービジョン策定
10月　第 1 回唐子へそマラソン大会開催
　　郵政民営化法公布
　　松山第一小学校校舎屋上にソーラーパネル設置
11月　ひがしまつやま市民まちづくり参加債（5億円）発行
1月　乳幼児医療費適用範囲拡大
　　箭弓町三丁目土地区画整理事業完成
3月　桜山小学校・緑山小学校閉校（→桜山小学校は4月開校）
　　松葉町で電波塔建設反対の住民運動発生

在職 23 年目：市民生活部市民課主査

## ◇二〇〇六（平成十八）年度

前年度、小学六年生の社会科の教科書（東京書籍㈱発行）に東松山市が掲載されました。憲法の三原則を学ぶ「私たちのくらしと日本国憲法」という項目に十ページにわたって掲載され、東松山市の政治を例として「基本的人権の尊重」「国民主権」「平和主義」が解説されていました。

「基本的人権」の項目では、市が積極的に取り組んでいる「ノーマライゼーションのまちづくり」を例として、公共施設のバリアフリー化や介護サービスの充実などが紹介されました。

「国民主権」の項目では、市民の政治参加を進めるための仕組みとして、情報公開制度や市長への手紙などが紹介されました。

「平和主義」の項目では、市内の埼玉県平和資料館や丸木美術館を挙げ、平和の尊さを伝えている、と紹介されました。

日本国憲法の三原則が東松山市で実践されている、と小学六年生の教科書で全国に向けて紹介されたのは、市として誇るべきことでした。市民意識調査でも、約七割の市民が「住みよさ」を感じているという結果が出ました。

坂本市政三期十二年の成果は、着実に実を結び、初当選した市長選挙以降ずっと無投票で再選され、この年も無投票で四選を果たしました。

また、この年度で地方自治法が改正され、次年度から助役は副市長に、特別職であった収入役は一般職の会計管理者に名称と役割が変更されました。

## 2006（平成18）年度

市　長：坂本祐之輔／助　役：福田　實／収入役：玉貫武一
教育長：大曽根一恵
議　長：坂本俊夫（6月～）／副議長：福田武彦（6月～）
人　口：90,229人／世　帯：34,030世帯
職員数：815人（内再任用：10人、市民病院：221人）
総予算：526億5,386万円
（一般会計予算：243億2,000万円）　※4/1現在

＜主な出来事＞

4月　桜山小学校開校。郵政民営化法施行
　　第4次行政改革大綱（集中改革プラン）策定
　　広報紙月2回発行から月1回の発行へ
　　防犯センター開所
7月　市長選挙、坂本祐之輔氏無投票4選
　　オランダ王国ナイメーヘン市と姉妹都市提携10周年
8月　広島市平和記念式典へ市民・中学生派遣
12月　市議会での一般質問を一括質問方式から大項目方式へ変更
1月　防衛省発足
3月　国道407号東松山バイパス都幾川工区開通

在職24年目：総務部総務課文書法規係兼情報公開・個人情報保護係主査

## ◇二〇〇七（平成十九）年度

前年度施行された「第四次東松山市基本構想」は、二〇一五（平成二十七）年までの十年間のまちづくりの方向性を示したもので、次の七つの柱が掲げられました。

**一　未来を育む地域づくり**
**二　地球にやさしい地域づくり**
**三　支えあう地域づくり**
**四　危機に強い地域づくり**
**五　快適な地域づくり**
**六　自己実現できる地域づくり**
**七　活力ある地域づくり**

この七つの柱からもわかるように、第四次基本構想は「地域づくり」をキーワードに策定された長期ビジョンとなっていました。平成の大合併で市町村合併の難しさを痛感した坂本市長は、前年に四選を果たし、新たなまちづくりの視点を「地域づくり」へシフトさせました。

二〇〇六（平成十八）年三月、松葉町で携帯電話の電波塔建設に伴う反対運動が展開され、四千人以上の署名が集められました。市議会の一般質問でも取り上げられました。

坂本市長は、この経験からも住民自治という地方自治の原点に立ち返ることが、将来の地方自治の基盤となることを感じ取り、「地域づくり」の重要性を再認識したのかもしれません。

## 2007（平成19）年度

市　長：坂本祐之輔／副市長：福田　實／教育長：大曽根一惠

議　長：松坂喜浩（5月～）／副議長：神嶋　博（5月～）

人　口：90,114人／世　帯：34,343世帯

職員数：788人（内再任用：8人、市民病院：216人）

総予算：541億9,852万円

（一般会計予算：248億4,000万円）　※4/1現在

<主な出来事>

4月　収入役制度廃止

市税等のコンビニエンスストアでの収納開始

市議会議員選挙が行われ、22人が決定

（投票率58.54%）

市内循環バス野本・高坂コース新設

5月　新明小学校校舎落成

7月　就学支援委員会を廃止し就学相談調整会議新設（全国初）

介護施設「あすみーる」オープン

11月　大韓民国原州市と友好都市提携

12月　ギャラリー東松山閉館

市民病院救急医療休止

3月　市営保育園職員による公金流用事件発覚

市道12号線一部開通

（大谷材木町線から市道14号線まで）

在職25年目：総務部総務課文書法規係兼情報公開・個人情報保護係主査

## ◇二〇〇八（平成二十）年度

この年、市の人口は九万人を割り込む減少となり、五百億円を超えて推移していた総予算も前年度に比べ約七十億円減少し、四百億円代へと大幅に落ち込みました。

それに追い打ちをかけるように、収賄事件及び競争入札妨害事件により職員二人が相次いで逮捕されました。また、東松山市社会福祉協議会のリーマン社債購入による約一億円の損失問題が発覚するなど、目まぐるしいほどの事件や事故が頻発しました。

坂本市政十四年の中で、平穏だった議会においても、職員資質への疑問、入札制度改革、市民病院での救急医療体制、個人情報保護制度の過剰反応への対策、東松山駅東口にあった赤鳥居の撤去など平時の問題に加え、相次いだ職員の逮捕、社会福祉協議会のリーマン社債購入による一億円損失に伴う責任問題など、事件や事故に関わる問題が頻繁に一般質問されるようになりました。

市議会では、基本的にすべての一般質問に対し坂本市長が答弁し、細部の説明を担当部長が答弁するというスタイルを貫いてきました。答弁内容も相手の意向や質問の真意を汲み、真摯な姿勢で対応したこともあって、過去においては議会が混乱することもありませんでした。しかし、法的問題に対処するため、法務に詳しい若手職員を一足飛びに部長職に昇格させ答弁させたことで、議会にも不信感が漂い始めました。

一方、半世紀にわたって東松山駅のシンボルとして親しまれた大きな赤鳥居が撤去され、それを惜しむ市民の声も多数寄せられました。

## 2008（平成20）年度

市　長：坂本祐之輔
副市長：福田　實（5/30 辞職）→御澤洋一（8/1～）
教育長：大曽根一恵（9/30 任期満了）→石川志津（10/1～）
議　長：榎田達治（6月～）／副議長：岡村行雄（6月～）
人　口：89,891 人／世　帯：34,665 世帯
職員数：743 人（内再任用：15 人、市民病院：179 人）
総予算：472 億 5,501 万円
（一般会計予算：239 億 3,000 万円）　※4/1 現在

＜主な出来事＞

4月　きらめきクラブしんめいオープン
　　後期高齢者医療制度開始
　　ふるさと納税制度開始
6月　東松山駅東口駅前広場・東松山ステーションビル暫定オープン
7月　収賄・入札妨害で職員２人逮捕
8月　全国高校総合体育大会開催レスリング競技会場となる
9月　アメリカ合衆国の投資銀行リーマン・ブラザーズ・ホールディングスの経営破綻により世界規模の金融危機発生（リーマン・ショック）
　　東松山社会福祉協議会でリーマン・ブラザーズの社債購入で約１億円の損失発覚
１０月　東松山駅東口「赤鳥居」解体撤去
1月　バラク・オバマ第 44 代アメリカ合衆国大統領に就任
3月　東松山駅西口駅前広場暫定オープン
　　夢灯路開催

在職26年目：総務部総務課主査

## ◇二〇〇九（平成二十一）年度

年越し派遣村が話題となったこの年、東松山市では前年の入札制度における不適切な事務処理や社会福祉協議会でのリーマン社債購入による約一億円の損失問題などがくすぶり続けました。

入札問題に絡む職員の不適切な処理問題では、急激な職員の削減に伴うモラール（士気）の低下や収賄事件における職員の資質など、職員全体の問題として議会からも厳しく追及されました。また、東松山市社会福祉協議会のリーマン社債購入による約一億円の損失問題では、当時、東松山市社会福祉協議会の会長を兼務していた坂本市長に対し、その責任を議会から追及されました。

年度当初の施政方針で、坂本市長は「基本に立ち返り、私もそして市職員も、市民に信頼される市役所の再構築に向けて、ともに知恵を出し合い、一致団結して取り組んでいきます」と表明しました。

一方、市制施行五十五周年を記念して「東松山市こども市議会」が開催されました。市内の中学生二十人がそれぞれ議長、副議長、議員となり、市議会議場で本物の市議会のように議事が進められました。

三十二年ぶりに開催された「こども市議会」では、こども議員の鋭い質問に、坂本市長と石川教育長が眩しそうな眼差しで丁寧に言葉を選んで答弁しました。

## 2009（平成21）年度

市　長：坂本祐之輔／副市長：御澤洋一／教育長：石川志津
議　長：榎本　榮（6月～）／副議長：吉田英三郎（6月～）
人　口：89,731人／世　帯：35,046世帯
職員数：717人（内再任用：12人、市民病院：155人）
総予算：465億1,773万円
（一般会計予算：248億3,000万円）　※4/1現在

＜主な出来事＞

4月　こども医療費助成対象拡大
（中学3年生まで医療費の無料化）
環境首都コンテストで全国67自治体中25位
5月　裁判員裁判制度施行
6月　新型インフルエンザで世界保健機構（WHO）がパンデミック（世界的大流行）を宣言
8月　広島市平和記念式典へ中学生17人を派遣
市制施行55周年記念東松山市こども市議会開催
9月　民主党鳩山内閣誕生
10月　市制施行55周年記念式典開催
12月　坂本市長、市議会本会議で次回市長選不出馬を表明
3月　ピオニー・ウオークオープン

在職27年目：総務部人事課副主幹

## ◇二〇一〇（平成二十二）年度

四期十六年にわたる坂本市政にピリオドが打たれた年度でした。坂本市長は、最後の施政方針でも「人と環境にやさしいノーマライゼーションのまちづくり」を掲げ、「安心できる暮らしと豊かな自然を大切にしたまち」の実現を目ざすことを表明しました。

新たに市長となった森田光一氏は、就任後初の市議会での挨拶で、市長選挙で掲げたマニフェスト二〇一〇「ひがしまつやま元気創造計画」の実現を表明し、次の三つの基本姿勢を示しました。

**一　地域力・市民力の結集**
**二　公正透明な市政実現**
**三　市政運営から都市経営に**

この基本姿勢により、元気な東松山チャレンジ一〇を次のとおり示しました。

**①トップセールスによる企業誘致と雇用促進　②地域活性化と広域連携、③地域ぐるみの子育て支援　④介護予防の充実と市民病院改革の推進、⑤都市基盤インフラの計画的整備　⑥みどりの創出と市民のエコ生活支援、⑦東松山師範塾の開設と市長と教育委員会との連携強化　⑧ふれあいのまち、⑨危機回避と被害軽減　⑩新しい公共経営の実現**

## 2010（平成 22）年度

市　長：坂本祐之輔（8/4 任期満了）→森田光一（8/5～）

副市長：御澤洋一（8/4 辞職）→年度内（～3 月）不在

教育長：中村幸一

議　長：鷺澤義明（6月～）／副議長：大山義一（6月～）

人　口：89,416 人／世　帯：35,273 世帯

職員数：724 人（内再任用：20 人、任期付：6 人、市民病院：158 人）

総予算：494 億 1,548 万円

（一般会計予算：262 億 2,000 万円）　※4/1 現在

### ＜主な出来事＞

| | |
|---|---|
| 4月 | 東松山駅東口北側広場オープン<br>市役所の開庁時間が8時 30 分から5時 15 分に<br>（それまでは、8時 30 分から 5 時まででした）<br>折本山公園オープン |
| 6月 | 東松山駅前行政サービスコーナーオープン<br>子育て支援センター「マーレ」オープン<br>子ども手当支給開始 |
| 7月 | 市長選挙が行われ、森田光一氏初当選<br>（投票率 52.58%） |
| 8月 | 森田光一氏初登庁<br>環境首都コンテストで全国 58 自治体中 29 位 |
| 9月 | 市議会本会議で森田光一市長就任のあいさつ |
| 10月 | 固定資産税の課税誤り発覚 |
| 1月 | 中国が国内総生産（GDP）で日本を抜き世界第2位に |
| 3月 | 東日本大震災（東北地方太平洋沖地震）発生（11 日）<br>死者・行方不明者 1 万8千人を超える |

在職 28 年目：総務部人事課副主幹

# Ⅲ 森田市政

東松山農産物直売所・いなほてらす

# 一　県議会議員からの転身

## (一) 十六年ぶりの市長選挙

二〇一〇(平成二十二)年七月、坂本祐之輔市長の引退に伴い実施された十六年ぶりの市長選挙には、五人が立候補し、熾烈な選挙戦を繰り広げました。

その選挙戦を制したのは、元市議会議員で前県議会議員の森田光一氏(五十七歳)でした。

投票率は、五二・五八パーセントで、結果は、森田光一氏が一万三，五三七票、松坂喜浩氏が一万一九一票、他の三人は、それぞれ五千票台、四千票台、三千票台と票を分け合いました。

森田氏は、坂本氏よりも二歳年上で、東松山青年会議所では、二人は良きライバルとして同時代を担っていたそうです。森田氏は、市議会議員を経て県議会議員となり、坂本氏の引退を受け、無所属で立候補し当選を勝ち取りました。新人とはいえ、市議会議員、県議会議員を経験した五十七歳の森田氏に多くの市民が期待を寄せました。

同年八月五日、マニフェストに掲げた「元気創造」を旗印に森田市政が船出しました。

## (二) マニフェストと「元気創造」

市長に就任して初めて迎えた新年度、二〇一一(平成二十三)年四月一日に「市長マニフェスト取扱要領」という名の東松山市役所での内規が制定施行され、市長マニフェストの進捗管理を職員が行うことになりました。

マニフェストとは公約であり、有権者に対する約束です。したがって、当選した暁には、それを実現させるのが政治家の使命となります。しかし、マニフェストはあくまでも「私的な」政策メニューですので、それを実現させるには、公の政策として位置づけなければなりません。東松山市であれば、東松山市基本構想、即ち、「東松山ビジョン」に民主的な手続きを経て明記することが必要となります。

ところが、この要領は、「東松山ビジョン」とは全く別モノとして位置付けられ管理されました。条文の最後には、「書類の取り扱いについては、他に漏らすことのないよう担当部長を含め関係者は慎重に行うこと」と明記されていました。これは、市長マニフェストの進捗管理シートが秘密文書であることを示しています。

即ち、この要領は、マニフェストという私的な政策メニューの進捗管理に対し、職員に、その実施状況を報告することを義務化したうえ、それを「秘密にしなさい」という内容でした。私はこの点に大いに違和感を抱きました。マニフェストの進捗管理を行うなら、東松山市の公の計画に位置づけ、秘密にすることなく公表すべきだと思うのです。

また、「スピード感をもって事業を進めよ」という市長の大号令の下で、目に見える事業に特化して、予算も人も、つぎ込まれるように公務がシフトしていきました。

「元気創造」や「スピード感」という言葉は、ヤル気に満ちた前向きな言葉かもしれません。しかし、別の側面から捉えてみると、官民を問わず職員を叱咤するツールとして、意図的に使用することも可能です。穿った見方をすれば、職員をコントロールするためのツールとして機能させることも容易であるということなのです。

森田氏のマニフェストに掲げられた事業は、常に目に見える「結果」が求められました。こうして、職員は、事務や事業の「経過」よりも、目に見える「結果」を求めて事業を進めるようになっていきました。

市長マニフェストの進捗管理と同じように、市の事務や事業を進捗管理するうちに次第に近視眼的な状況に陥りました。長期的展望に立脚した施策や政策よりも短期のうちに結果の見える事業が重要視されるようになりました。

私は、次第に森田市長の掲げる「元気創造」というスローガンにも違和感を抱くようになりました。何故なら、職員たちの働く姿から、明るさが消えていくように感じ始めていたからです。

そもそも、「元気」とは個人の内面、思いや感情といった生命から湧き出るもので、精神的な健全性の源であると思うのです。私の抱く「元気」という言葉の受け止め方が、職員たちから明るさが消えた、即ち、「元気」がなくなったと感じさせているのかもしれませんが、私は今でもそのしっくりこない感覚を抱き続けています。

## （三）県とのパイプを活かした市政

森田市長は、副市長以下、道路、農政など、力点を置く事業には県職員を充てました。また、いわゆる市の外郭団体である文化まちづくり公社や農業公社、観光協会の主要ポストにも、県職員の退職者が次々と充てられました。現在の東松山市の外郭団体は、さながら、県職員の天下り先の様相を呈するようになりました。

また、現役の埼玉県職員で副市長や課長職のポストに就いた職員は、東松山市とは縁もゆかりもない方々がほとんどでした。

職務命令で赴任した彼らは、それなりに東松山の知識を頭に入れて職務に取り組んでいましたが、二、三年間の出向期間を終えると実に事務的に県庁へと戻っていきました。

東松山市で毎日寝起きし、水を飲み、ごみを出し、このまちの空気を体全体で感じながら生活している市民にとって、東松山市で一度も生活をしたことのない県庁職員が東松山市役所で仕事をしていることなど知る由もないでしょう。

職員がどこに住んでいようが、仕事さえしっかりしてくれれば、何ら問題はありません。しかし、先の芝﨑市長の言葉を借りれば、「市民にとって何が必要かを考え、行動する職員」が真の市役所の職員だとするなら、二、三年間の在任期間では短すぎるように思えます。

県庁から出向してくる職員を否定している訳ではありません。むしろ、新鮮な人材によって職場が活性化することもあるでしょう。しかし、職員には東松山の地で暮らす人々の真の要求や悩みを敏感に感じ取る能力が求められます。それには、やはりそこに生きる人たちと同じ水で生活し、その水が甘いのか、苦いのかを体感しなければ、市民の真の姿は見てとれないのではないでしょうか。

## 二　課税誤り処理の舞台裏

### (一)課税誤りの発覚

森田市政が船出して二か月ほどが経過した二〇一〇（平成二十二）年十月、土地の固定資産税を巡る課税誤りが発覚しました。

この事件は、住宅用地の固定資産税の算定方法を誤ったため、当該年度分だけで約四，七〇〇人に対して計三，七〇〇〇万円の課税漏れがあった、という報道内容でした。

事実関係を調査すると、課税電算システムを導入した二〇〇一（平成十三）年四月から誤っていた事実が判明しました。遡ると、九年間誤っていたことになりますが、法的に遡れる過去五年分までを調査し、修正課税する方針を公表しました。

課税誤りの事実を公表したのは十月でしたが、実は、この課税誤りは、五月に市民から異議申し立てを受け、調査の結果、六月にその事実が判明していたというものでした。

五月の異議申し立てから十月の公表までの五か月間、七月には市長選挙が行われています。即ち、坂本市政時代に、一部の職員は課税誤りの事実を掴んでいたということです。

当然のことですが、当時の担当課長は、この事実を上司に伝えたはずです。引退目前の坂本市長にこの事実が伝わっていたか否かはわかりません。しかし、公表の時期が操作された事実は明白なことです。

課税誤りの事実は、森田市長が就任した二か月後の十月に公表されました。市役所内部で課税誤りの事実を把握してから四か月後のことです。

公表時期の操作に加え、この問題に関与した職員は、就任したばかりの森田市長に、この課税誤りの「処理方法」について自ら描いたシナリオに基づき、具体的な対処法を進言したと思われます。その内容は次のとおりです。

「過去五年間に遡って調査し、年度内の三月までに不足額を徴収する」

五か月余りの期間内に不足額を徴収せよ、という過酷な内容です。

就任して二か月、しかも副市長が不在という状況下で、森田市長は、このような判断を下しました。こうしてみると、課税誤りの舞台裏では、いろいろなかけひきが錯綜していることが見えてきます。

## (二) 職員たちの悲鳴

固定資産税の課税誤りの処理には、年度内に業務を終了するため、多くの職員が動員されました。課税課職員はもとより、経験のある職員は、ワーキング・グループのメンバーに位置付けられ、強制的に動員されました。

課税誤りの情報を知らされていなかった多くの職員にとって、日常の業務に加えての徴収業務は過酷なものでした。また、該当する世帯へは、個別訪問による謝罪と納付書の配布も実施されました。平日の夜間や休日に実施することの多い戸別訪問には、時間外勤務手当の支給されない管理職員が多数動員されました。戸別訪問に動員されたのは総勢一四〇人で、二人一組となって七〇組が約三，八〇〇世帯を訪問しました。平均すると一組で約五十数世帯を訪問したことになります。二人一組で地域を割り当てられ、土日の休日も返上しての業務でした。

私もそのうちの一人でした。十二月の寒空の下、一軒一軒のお宅で頭を下げ、二月末までに納付していただくことをお願いすると、大半の皆さんからお叱りを受けました。それでも、玄関先で頭を下げ続け、お願いするしかありませんでした。

二〇一〇（平成二十二）年十二月十五日の産経新聞には、「突然の納付要求　休日返上『アダ』」という見出しで、市の対応を批判する記事が掲載されました。事前の通知もなく、休日に納付書を持ってきて支払いを要求する職員の戸別訪問に、市民から不満の声が挙がっていることを報じたのでした。

そのような状況下でも、ほんの一握りの市民の方から「寒いのにご苦労様」と玄関先で声を掛けられると、冷え切った体と心が少し温まりました。

私は、この時期人事課の副主幹（課長補佐職）という立場でした。

先の見えない膨大な作業量に埋もれそうになりながらも、必死で働く職員にのしかかる重圧が、日を追うごとに増している様子が手に取るようによくわかりました。

同僚や担当職員から、膨大な作業量に伴う残業時間の多さに加えて、「スピード感」という名の下でのプレッシャーという過酷な労働による悲鳴の声が挙がりました。こうした状況のなかで、人事課副主幹という立場だった私に、彼らからのすがるような声が寄せられました。

私は、最前線で対処している担当職員たちの声を聴き、彼らにのしかかる重圧を解消しようとその解決策を考えました。職員たちが連日の残業続きで、疲弊している状況を数値化し、関連する部・課長に労働環境の改善を要望しました。

しかし、関連する幹部職員は、部下である職員たちの労働環境を改善しようとしませんでした。担当した課税課職員とワーキング・グループに動員された職員は、総勢で二十七名でした。そのうち六名の十月から翌年一月までの四か月間の月平均の残業時間は百時間を超えていました。十月に限ってみますと、八名が百時間を超えていました。なかには、一か月で百五十時間近く残業した職員もいました。

私は、やむを得ず、私の考えに賛同してくれた十六名の職員たちから署名をもらい、職員たちを代表する形で、市長に対し「上申書」を提出しました。止むに止まれぬ行為でした。過酷な残業状況を表で明示したうえで、早急な職員の負担軽減をお願いしたのですが、全く聞き入れて貰えず、職員十六名の悲痛な叫びである上申書は黙殺されました。

私は、この時、森田市長から「ご苦労様」という労いの一言があれば、職員たちにも「元気」

が湧き出たのではないかと感じ、得も言われぬ寂しさでいっぱいになりました。

### （三）課税誤りの顚末

翌年の二〇一一（平成二十三）年二月十四日、市は課税誤りに関する職員の処分を報道発表しました。

翌日の新聞各紙は、「担当していた職員五人を懲戒処分にしたほか、再任用職員を含めた六人を訓告、三人を文書注意とした」と報道しました。懲戒処分の内容は、システム構築当時係長だった職員を減給十分の一（一か月）、他の課長、主査等四人を戒告としました。

未収金の総額は、過去五年間で合計約一億二，二〇〇万円という報道内容でした。

こうして、この課税誤りの騒動は、年度末に幕が引かれました。

苛酷な労働を強いられた業務でしたが、自殺者等を出さなかったのは不幸中の幸いだったと思います。しかし、先述した上申書に署名した職員たちのうち、一人は体調を崩し、一月以降は病気休暇を取得するようになりました。そして、結局復職する気力を失い、退職を余儀なくされました。退職した職員は、まだ二十代の男性職員でした。

私は、退職した彼のことがずっと気になっていましたが、次第に記憶から遠ざかっていきました。

そんな折、彼が退職して九年後の二〇二〇年一月、再会を果たすことができました。彼は、血色の良い顔で市役所に来庁しました。辞める際は、怯えるような目つきと青白い顔色でしたが、うっすらと日焼けした柔和な顔と生気を感じさせる目の輝きに安堵しました。私の目をしっかりと見て、本来持ち合わせている淡々とした口調で、新年度から教員として再出発することを話してくれました。もしかすると、私が退職する前に姿を見せに来てくれたのかもしれない、などと勝手な想像をしました。何れにしろ、退職前に彼の元気な姿を再び見ることができた嬉しさを、今でも忘れることができません。

## （四）無言の制裁

前代未聞の上申書は、私の他十六名の職員の署名がありましたが、私以外の職員には不利益の及ぶことのないよう懇願する一文を付記しました。その後、幸いにも職員に不利益が及ぶことはなかったように思います。

代表者である私も、市長から直接「処分」等を受けることはありませんでした。しかし、その後、陰湿な「制裁」を受けることになりました。

翌二〇一一（平成二十三）年四月に、人事課から市民病院事務部医事課への異動を命じられると、たった一年で平野市民活動センターへ異動となりました。

その年、二〇一二（平成二十四）年四月、同期同学歴の同僚たちの多くが「選考」により課長職に昇格しました。ある程度の覚悟はしていましたが、私はそのメンバーには入っていませんでした。

当時の選考基準は、私が人事課に在職しているときに制度設計し、運用し始めたたばかりの「人事評価制度」でした。「人事評価」は、自己評価に始まり、順次上司が、一次評価、二次評価、最後は調整評価と三段階で評価していく制度です。

複数者の評価により客観性を高めるのがこの人事評価制度の目的ですが、最終的には調整評価者の主観を伴う評価が全てでもあります。人事課を経験した私は、同期同学歴で昇格した仲間の顔ぶれを見て、「調整」されたことを感じ取りました。

もちろん、人の評価は十人十色ですので、それを問題視するつもりはありませんが、第三者から見て違和感や恣意を感じる評価は、組織にとって決して良い影響をもたらすことはないでしょう。

引き続いて同じような制裁は、次年度にも行われました。

二〇一三（平成二十五）年四月は、新たに導入された課長昇任試験の合格者が課長に昇格しました。この課長試験制度も、私が人事課に在職していたときに、ほとんど一人で制度設計したものでした。私は、自分で制度設計した新たな課長昇任試験を受験し、見事「不合格」となりました。課長昇任試験は、小論文と面接でしたので、ある面、人事権者の好感度に左右されることは否めません。しかし、新たな課長昇任試験制度は、通常では考えられないほど歪められたものになり果てていました。

まず、合否の発表がありませんでした。通常、昇任試験が行われると、合否の発表を行います。しかし、試験の結果は、直接本人に通知されることなく、人事異動の内示で、課長職に昇格した職員が「合格」であり、課長職に昇格しなかった職員が「不合格」であるということを間接的に知る、というものでした（この点は、後に改められました）。

また、試験の実施主体である人事課に受験者がいる場合、東松山市のような規模の自治体では、第三者機関である公平委員会か、外部の委託先へ依頼して実施することで試験の公平性や公正性を担保するのが一般的です。

何故なら、人事課に籍を置くということは、試験問題を容易に知り得る立場にあると言えるからです。

にもかかわらず、東松山市役所では、このような不公平で不公正な昇任試験を人事課で実施してしまいました。

何れにせよ、課長昇任試験を受験した私は、不合格となりました。このとき一番若くして合格したのは、私より八年後に入庁した職員でした。良きにつけ、悪しきにつけ、年功序列の社会といわれる公務員の世界において、同期同学歴のメンバーから外され、八年の実績と経験の差も無視され、後輩に追い抜かれてしまいました。

市役所職員に求められるのは、市民にとって何が必要かを的確に判断し、それを実施する能力です。公務員の世界で人事権者の抜擢人事が法律によって認められてないのは、人事権者の恣意による暴走を未然に防止する意図が反映されているからなのです。

この人事に組織的な「いじめ」を感じた職員の中には、私へ励ましの言葉をかけてくれる人もいました。また、市民の方からも心温まる言葉をいただきました。地元で生まれ育った職員たちの顔を知る市民の中には、市役所の人事を見て、そこに恣意を感じる方も少なからずいました。その方々からの温かい心遣いは、私のその後の支えとなりました。

このような人事をされますと、職員もやる気やモチベーションが低下します。私も同様です。しかし、やる気のない職員がいることで一番の被害者となるのは市民の皆さんです。私は、このことを自分に言い聞かせ、ただひたむきに日々職務に励みました。

地方自治体という閉ざされた世界で、課長試験制度や人事評価制度を恣意的に利用することは人事の私物化です。私物化した人事を行使することは、公権力の濫用と捉えることもできます。

## 三　人事行政への懸念

### (一) 無計画な人事

二〇一〇（平成二十二）年四月、市民病院には七人の薬剤師が在職していました。当然のことですが、彼らは院内の薬局に勤務し、薬剤科という部署で医師の処方に基づいて、調剤や薬剤管理等の専門業務に従事していました。

七人のうちの一人は、薬剤師として採用されながら事務部管理課で事務の業務に就いていました。他にも、臨床検査技師や放射線技師など数名も、技師でありながら事務部門の職務に従事していました。

本来、薬剤師や放射線技師、臨床検査技師などは、彼らの有する資格に基づいて受験し、その知識や技量が認められて市民病院に採用されたわけです。したがって、病院にとって、その資格を活かせる職場に配属しなければ採用した意味がありません。

しかし、市民病院内では、「都合で」事務職に従事させる人事が慣例的に行われていました。翌二〇一一（平成二十三）年四月には、薬剤師一人が退職し、二人の薬剤師が新たに採用され、薬剤師は総勢八人となりました。そのうちの二人は、入院病棟と外来診療の現場に配属されました。

その翌年の二〇一二(平成二十四)年四月には、信じられないような人事が行われました。前年、新たに二人を採用し、薬剤師を八人に増員したにもかかわらず、この年、薬剤師を一気に五人も減員し、三人としました。

理由は、調剤部門の外部委託化によるもの、ということでした。今でこそ市民病院の周辺には調剤薬局が軒を並べて林立していますが、二〇一一(平成二十三)年までは院内処方でしたので、薬は全て院内の薬剤科で処方していました。

また、医薬分業による調剤部門の外部委託化は、その当時、既に過去のものになりつつあり、「今さら、なぜ?」という疑問の声も挙がっていました。むしろ、当時は患者さんの負担軽減のために院内処方へ戻す動きさえあり、時代に逆行する動きと捉える声もありました。

何れにしろ、市民病院では薬剤師を八人体制から三人体制に急変させました。明らかに、無計画で病院経営の長期的視野に欠ける人事と言わざるを得ません。しかも、残された三人のうち二人は前年度に採用されたばかりの新任の薬剤師でした。市民病院での経験のある薬剤師を一人だけ残して、一度に五人の経験豊富な薬剤師に「不要」の宣告をしたのです。第三者的に見ると、体のいい「古株薬剤師のリストラ」とも見てとれます。

不要とされた五人の薬剤師に残された選択肢は二つでした。「職種変更を自らで申請して事務職として市役所に留まる」か、「依願退職する」か、という苦渋の選択でした。選択というよりも強要でした。

当時、私は市民病院の事務部医事課に勤務していました。人事課から異動してきたこともあって、彼らは、私に苦しい胸の内を明かしてくれました。その内容は、彼らの人生を大きく左右する、とても重いものでした。今思い起こしても、胸が締めつけられるような毎日を彼らとともに過ごしました。

心強かったのは、市民病院の元院長であった松﨑正一先生の存在でした。当時、松﨑先生は埼玉県社会保険診察報酬請求書審査委員会の委員長の要職に在りました。また、癌と闘う体でありながらも、仕事を終えてから市民病院まで足を運んで、私たちの訴えに耳を傾けてくださいました。話を聴いていただくだけで、心が軽くなりました。

そもそも薬剤師には、業務における失態も、職務怠慢も、何の非もありませんでした。非はすべて採用した側、即ち、薬剤師に進退を迫る人事権者にありました。

彼ら五人の薬剤師は、薬剤師を夢見て勉強し、大学の薬学部を出て、国家試験に合格し、晴れて東松山市立市民病院へ就職したのです。しかし、明るい希望を抱いて働き始めたその就職先で、何の非もないのに、理不尽に事務職への変更か、退職かを、突然目の前に突き付けられました。

皆さんなら、どう思い、どう行動するでしょうか。

彼らは、市民病院に対して訴訟を提起することも考えました。しかし、たとえ勝訴したとしても、市民病院の薬剤科には戻りたくないとも思いました。彼らは、市民病院の職場体質に失望していました。

結局、五人のうち二人は、失意のうちに退職しました。他の三人は、翌年度に事務職へ職種変更して市役所に留まりました。彼らは、それぞれ、障害者福祉課、高齢介護課、保険年金課へ配属されました。しかし、そのうち二人は、一年で退職しました。やはり、薬剤師として働きたかったのです。市民病院での無計画な人事によって犠牲となった五人の薬剤師のうち、四人は今、薬剤師の資格を活かして別の医療機関で働いています。

人は組織にとって財産です。その人財がまるで消耗品のように扱われ、退職を余儀なくされた薬剤師たちのことを想うと、私は、今もあの頃の院内体質を思い起こし、重い気分になってしまうのです。

心の支えとなっていただいた元市民病院長の松﨑先生は、彼らが退職した二〇一三（平成二十五）年の十一月に他界されました。十七年ぶりに市民病院へ勤務した私に、松﨑先生は「西ちゃんが市民病院に戻ってきたから顔を見に来たよ」と言って、一年の間に何度も私の職場へ足を運んでくださいました。今となっては、お礼を言えなかったのが心残りでなりません。

当時のことを思い浮かべると、松﨑先生の笑顔が重苦しい気分を軽くしてくれていたことに改めて気付かされます。その意味でも、やはり「名医」だったと思います。

## （二）不適切・不公正な課長試験

前述のとおり、二〇一二（平成二十四）年四月、課長試験制度を導入して初めての課長が誕生しました。公務員の昇任（昇格）試験制度の下では、合格者は「昇任（昇格）候補者名簿」に掲載され、成績順に順次空席のポストへ配属されていきます。そして、ポストが無ければ次年度へ待機となることもあります。

また、これも前述したように、人事課の職員に課長昇任試験受験者がいる場合、人事課が試験を主催するのでは、公平性や公正性を損なうことが懸念されます。このような場合、第三者機関である公平委員会へ昇任試験の実施を依頼するか、外部へ委託して、その判定を仰ぐのが一般的です。しかし、課長試験が導入されてから現在に至るまでの間、一向にそのような動きはありません。

人事課の職員で課長試験を受験する立場にある者は、副課長か副主幹の立場にあります。これは、試験問題を事前に知り得る立場にあるということです。果たして、これで公平で公正な試験ができていたのか、甚だ疑問です。仮に、このような実態を人事課で認識しているにも関わらず実施したとすると、地方公務員法に抵触しかねません。

更に、東松山市では課長昇任試験制度下において、前代未聞の不正が行われてしまいました。二〇一六（平成二十八）年四月、課長昇任試験を受験していない職員が課長に昇任したのです。それは、「部長推薦」による昇任（昇格）、というものでした。しかも、その部長推薦には、明確な基準が示されていませんでした。

公平・公正であるはずの公務員の昇任（昇格）人事において、昇任試験制度があるにも関わらず、まるで裏口入学のように「部長推薦」で昇格させてしまっては、人事権者の好感度によって左右されると指摘されても否定できません。

これは、公平・公正さを欠くというだけでなく、法的にも大いに問題があります。

地方公務員法、東松山市職員任用規則、東松山市職員昇任試験実施要綱の各規定を以下に示しますのでご覧ください。

◇地方公務員法第十七条第四項

人事委員会を置かない地方公共団体（東松山市はこれに該当します）においては、職員の採用及び昇任は、競争試験又は選考によるものとする。

◇東松山市職員任用規則第三条第一項

職員の任用は、必ず競争試験又は選考によらなければならない。

同規則第八条

職員の昇任は、すべて勤務成績の基づく選考又は昇任試験によらなければならない。

同規則第十条

昇任試験に合格した者は、昇任候補者名簿に登載するものとする。

◇東松山市職員昇任試験実施要綱第二条

職員の主事級、主査級及び課長級の職への昇任については、競争試験の方法により行う。

このように、東松山市で課長職になるには、課長昇任試験を受験しなければ昇任できず、昇任（競争）試験と部長推薦（選考）が併用されることはあり得ないのです。

仮に、試験と選考が同時に実施されたとしたら、東松山市職員任用規則第十条の「昇任候補者名簿」に、どうやって「成績順」に登載するのでしょうか。

条文に抵触していることは明白です。

地方公務員法第十五条には「職員の任用は、この法律の定めるところにより、受験成績、人事評価その他の能力の実証に基づいて行わなければならない。」と規定されています。そして、この規定に違反して任用した者に対しては、「三年以下の懲役又は百万円以下の罰金に処する」と同法六十一条で規定されています。

職員の採用や昇任に際して、法は厳格な基準と罰則を設けています。

この点に関して、様々な意見があるでしょうが、何れにしても、不適切な昇任によって昇給した市役所職員の給料が市役所の公費から支出され、今も支給され続けています。

試験制度は、その大前提として、当該試験を受験するか、しないかという職員個々の意思が尊重されます。部長推薦という方法は、この大前提である個人の意思をも無視しています。また、推薦されなかった職員の心情も全く考慮していない人事制度と言わざるを得ません。

本来、内部浄化機能が正常に働く組織なら、誰が、どのような理由で決定したのか、その責任の所在と理由を明確にして、法に適った運用へと再構築していくでしょう。それができない組織であることに、私は不健全性を感じざるを得ないのです。

これは、長年にわたって脆弱化された労働組合にも、その一要因があると思います。

公務員の人事において大切なことは、公平・公正で客観的な能力の実証に基づいて実施されることです。

### (三) 早生された管理職

更に、この二〇一六（平成二十八）年四月には、もう一つ、人事での大盤振る舞いがありました。四十代の職員を多数次長職に昇格させたのです。

次長職は、部長職に次ぐ市の重要な幹部職です。したがって、次長職のポストに就かせるには、課長職時代の職務内容や勤務態度を検証し、充分な経験を積ませ、職責に耐え得る職務遂行能力と人格とを兼ね備えたうえで就かせるのが人事の常です。

しかし、この年は、課長職を二年程度しか経験してない四十代の職員を次長職に就けました。これにより、東松山市の向こう十年以上の人事の硬直化が確定的なものとなってしまいました。

人事の硬直化は、事務事業や発想の硬直化をもたらします。事務事業や発想の硬直化は、市役所全体の硬直化をもたらします。それは、最終的には市民サービスの硬直化へと転化されます。

東松山市の職員の年齢構成には偏りがあります。これは十七ページの「I　芝崎市政」で述べたとおりです。特に、一九八一（昭和五十六）年から一九九〇（平成二）年までの十年間では、三回しか職員を募集しませんでした。この結果、私を含めたこの間の世代には、前後二年から四年程度の年齢差が生じていました。

当時の芝崎市長は、将来の人件費を抑制するために職員の採用を極力控えました。そして、その人件費抑制策は、短期的な視点だけではなく長期的展望にも立脚していました。本来、課長職と部長職は「必置職」と言って必ず置かなくてはならない職です。他方、その間の次長職は「任意職」であり、「必要に応じて」置くことができる職です。極論するなら「置かなくても済む職」なのです。

芝崎市長は、将来の組織を弾力的に捉えていました。幹部職員の数がダブついた場合は、次長職をうまく配置して職員のモチベーションを保ち、逆に幹部職員の数が不足した場合は、次長職を置かずに課長職から有能な職員を部長職に充てる。そうすることで組織の機能性と機動性を高め、活性化を図ることを想定していたのです。

ところが、二〇一六（平成二十八）年四月の人事では、次長職不足の焦りから拙速に若い次長職を「早生」してしまいました。また、管理職手当を定率制から定額制へと変更しました。これは、若くして管理職になった職員への給与面での優遇策と捉えることもできます。

どういうことかと申しますと、定率制の管理職手当は基本給の何パーセントということで算定されますので、基本給の差により同じ職位でも差が生じます。しかし、定額制とすることで基本給に関係なく同職位であれば同額が支給されます。

これは、一見「同職位同手当」ということで妥当性がある、という見方もできますが、一方で、若くして管理職に昇格した職員には極めて有利な手当の支給方法でもあるのです。

このような昇格人事により、人件費が増大しました。芝﨑市長の思い描いた人件費抑制策が、正反対の結果を招いてしまった、と言い換えることができます。

一方、急増する人件費を抑制するために再任用職員や任期付職員を大量に採用しました。特に、任期付職員の割合は、全体の事務職の約一割を占め、他の自治体に比べ非常に多くなっています。

地方自治体における人事行政というのは、単に人件費や職員間だけの問題ではありません。職員の判断が、自治体の方向性やまちの姿を左右するということを常に念頭に置く必要があるのです。

### (四)「子育て枠」による女性職員の採用

二〇一五（平成二十七）年四月、東松山市で初めて「子育て経験のある女性」職員を採用しました。全国的にも珍しい取り組みでした。

森田市長は、「日本一子育てしやすいまち」を標榜し、子育てに力を置きました。その表れの一つが、この「子育て経験採用枠」でした。

マスコミも、この珍しい採用枠に飛びつき報道しました。

しかし、反面、差別的な職員採用ではないか、との意見もありました。何故なら、子育て経験がある女性ということは、「子どもを産んだ経験のある女性」に限られるからです。

結局、この年採用された女性職員は四人で、子育てとは関係性の薄い職場へ配属された者の方が多い状況でした。その後も、二年続けて「子育て経験採用枠」職員を募集し、三年間で合計十一人が採用されました。

「子育て経験枠」で採用された女性職員たちは、その多くが小学生以下のお子さんを育てている最中でした。これは「子育て経験」というより「子育て真っ最中」ということを意味します。

私見ですが、子育てにおいては現在進行形であり、とても「(過去に)子育てを経験した」と言える状況ではないと感じました。

誤解の無いよう断っておきますが、「子育て経験枠」で採用された職員に全く非はありません。検証すべきは、彼女たちをどう活かしているのか、「子育て経験」をどう活かしているのか、という点です。また、「検証」とともに彼女たちを自治体職員として「育成」していくことも採用者の責務だと思います。

何れにしろ、どんな採用枠の職員であれ、職員の言動や判断は全て市民の幸せに影響してくるのです。

## (五) 比企広域消防本部での市長の長男採用

「制裁」「恣意的」「人事の私物化」など、読者の皆さんにとっては耳障りな表現が鼻につくかもしれません。所詮、著者である私のひがみ、個人の感情と思われたかもしれません。もし、そうお感じになられたとしても仕方ないと思っています。そこで、これから暫くの間、客観的な事実をお伝えしようと思います。

東松山市役所内部のことではありませんが、二〇一三(平成二十五)年四月、森田市長が管理者を務める比企広域消防本部で、森田市長の長男が救急救命士として採用されました。「三十五歳」でした。比企広域消防本部の救急救命士の採用年齢は、前年まで「二十五歳」が上限でしたが、この年に限り「三十五歳」までと、一気に十歳も引き上げられ、翌年には元の「二十五歳」に戻されました。

この件に関して、二〇一四(平成二十六)年六月の市議会定例会で坂本議員が一般質問しています。詳細は議事録に掲載されていますが、以下に、その要旨を記述します。

坂本議員「…なぜ、救急救命士だけが三十五歳なのでしょうか」

森田市長「本来比企広域市町村圏組合の事務でございますので、…ご質問ですのでお答えをさせていただきます。私が市長に就任した段階で、比企広域消防本部の救急救命士の資格を持つ人員に不足が生じておりました。即戦力になる、経験のある救命士に入庁していただくということが喫緊の課題であったのは事実です。そして、救命士の経験者を採用するためには、大学を出て、他の消防本部または医療機関等で救命士として資格を持ち、その仕事に従事した人材を試験を経たうえで採用するという仕組みを消防本部が考案したということでございます」

坂本議員「それでは、森田市長が管理者になってから三十五歳に変えたと、このようなことでよろしいのでしょうか」

森田市長「そうです」

坂本議員「それで、昨年森田市長のご子息が採用されたということでよろしいわけですか」

森田市長「平成二十四年度の採用になりますけれども、長男が採用試験を受け、そして合格をして、現在その消防本部で職についております」

坂本議員「…李下に冠を正さず、縁故採用等の思惑も絡むこともありますので、十分正しいということを貫いていただきたい…」

東松山市議会での一般質問の要旨は以上です。比企広域消防本部のことですので、坂本議員も深くは追及しなかったのでしょう。何れにしろ、採用年齢の上限を、この年度だけ「三十五歳」とし、翌年度から元に戻した明確な理由は述べられていません。

比企広域市町村圏組合は、東松山市と比企郡内の六つの町に秩父郡東秩父村を加えた八市町村で構成する一部事務組合（消防は、川島町を除く七市町村）です。一つの自治体ではありませんので、このようなことが行われても議会等で深く追及されることはありません。

とはいえ、坂本議員の一般質問の結びの「李下に冠を正さず」という金言が、比企広域市町村組合の管理者の心に響くことを祈りたいものです。

# 四　見えない力

## (一) 県議会議員の紹介順序

引き続き、市議会での一般質問から、客観的な事実をお伝えしようと思います。

東松山市が主催する行事には、来賓として東松山市を含む選挙区から選出された国会議員や県議会議員が招待されることが多々あります。東松山市・吉見町・川島町の県議会議員選挙区では二人の県議会議員の選出枠があり、現在、東松山市からその二人が選出されています。皆さんご存じのとおり、松坂喜浩氏と横川雅也氏の二人です。

この二人の県議会議員の席次と紹介順序について、二〇一七（平成二十九）年六月の市議会定例会で大内議員から一般質問が提出されました。

端的に言うなら、市の行事において、松坂県議と横川県議の席順や紹介順序が、「何故、横川氏が先で松坂氏が後なのか」ということです。

「議員経験等の経歴はもちろんのこと、年齢、五十音順も含めて、松坂氏が先であることは、ごく自然のことではないか」というのが質問の趣旨でした。

検証してみると、市が主催する行事では、常に横川氏が先になっていました。その理由を質問されたのです。答弁した担当部長は「客観的基準はない」とし、質問した大内議員も要望として、この問答は終わりました。

この二人の県議会議員の席次と紹介順序については、多くの市民や関係者が疑問や違和感、不自然な感情を持っていました。大内議員も、質問の背景に「非常に多くの市民の方から、何度も尋ねられたから」と、質問した理由を述べています。

ごく普通の感覚なら、松坂氏、横川氏の順で席次や紹介順序を定めるでしょう。一般的な市職員であれば、それくらいの感覚は持ち合わせています。

では、何故それが逆転し、不自然な形となっているのでしょうか。市が主催者であるということは、必ずそれを決裁する者がいるということです。即ち、その決裁権者の中に、それを指示した者がいたということです。

ここで、その犯人捜しをするつもりは毛頭ありませんが、故意にこのようなことをするのは、明らかな「大人のいじめ」であるということだけは言えます。

誰が、どんな意図で県議会議員の席次や紹介順序を指示したのか、多くの市民が疑問を感じるのは、それに不公正さや不快感を感じるからでしょう。

## (二) 会議での号令

「起立！」

「礼！」

「着席！」

東松山市役所では、部長会議を始めとして市長や副市長が出席する会議の始まりと終わりに、この号令が叫ばれます。

この慣習は、平成末期に始まったもので、歴史的には日の浅い慣習です。

会議のけじめを明確にしたかったのか、緊張感を喚起したかったのか、それとも、軍隊のような統制的な空気と従順な意見を出せる舞台を演出したかったのか、意図するところは不明ですが、何れにしても、市役所の主要な会議は、この号令で始まり、この号令で終わります。

号令の慣習が始まる以前の市役所での幹部会議は、全員が集まると、議長の礼に合わせて全員が一礼して始まるのが常でした。会議のメンバーは、自然体で臨むことができ、個々の意見を忌憚なく出せる雰囲気があったように思います。

しかし、号令で始まる会議になって以来、自由闊達な意見や反対意見が出しづらくなってしまい、会議の雰囲気も硬直化しました。

私も、これらの会議のメンバーとして同席しましたが、「起立！」「礼！」という号令で始まる会議には、毎回違和感と空虚な威圧感を抱いていました。

この私の意見には異論もあることでしょう。会議には、ある程度の緊張感やけじめが必要であることも理解しています。

しかし、会議の開始に際して、号令のような統制的な行為や無用な威圧感を醸し出す行為を表出すると、本来自由であるはずの意見が封殺されたり、オブラートに包んで意見を出したりするように操作されることが懸念されます。

だからこそ、瑣事ではありますが、会議という民主的な場に、号令という統制色を含んだ威圧的な空気を持ち込むことに違和感を抱いてしまうのです。

大人の会議です。対等・平等な大人の社会です。まるで、人を威圧しコントロールするかのような号令によって始まる会議のあり方は、再考の余地が大いにあるように思うのです。

仮に、今後も継続するなら、市役所外部の人が参加する会議でも同様にしてみるといいと思います。もちろん、その際には、その場に参加している皆さんに納得していただけるような説明が必要でしょうが…。

### (三)「ノー」と言えない空気

県議会議員の紹介順序や会議での号令は、言うまでもなく見えなかったり、見えたりする「力」によって行われたものです。このようなことが日常において繰り返されることによって、職員たちはその「力」の顔色を窺うようになります。

本来なら、「市民にとって何が必要かを考え、行動する」のが職員であるはずですが、次第にこの「力」の顔色を窺いながら仕事をするようになってしまいます。

そして、この「力」に対して、職員は徐々に「ノー」と言えなくなってしまうのです。

休日に実施される市主催の行事に職員が「動員」されるケースはその典型です。もちろん、表向きは「自発的に」参加していることになっています。

また、今は、SNSを利用する政治家が多数いますが、市長の投稿に「いいね！」の返信を出す職員がいます。このような行為は、第三者的に視ると「自画自賛」や「ゴマスリ」に映ります。

このような言動を見る度に、東松山市役所には、今、過去に経験したことのない、重苦しい見えない「力」の空気が漂っているように感じるのです。

どんな「力」が働いていようと「市民にとって何が必要かを考え、行動する」職員であって欲しいと思います。

# 五　噛み合わない議会との関係

## (一) 答弁は簡潔に

市議会での一般質問は、通常、市長か教育長へ向けられます。したがって、答弁者は、このどちらか、というのが一般的です。芝﨑市長、坂本市長の時代は、まず、質問を受けた市長か教育長が答弁し、詳細について担当部長が補足的に答弁するスタイルでした。

しかし、森田市長になってからは、直接担当部長が答弁する場面が非常に多くなりました。森田市長は、県議会議員から東松山市長に転じ、副市長も最初の四年間は埼玉県の職員を充てていきます。埼玉県議会での答弁者は、知事の他、担当部長が答弁する場面も多いようです。東松山市議会での答弁も、この県の方式に倣ってか、担当部長が直接答弁するスタイルへと変化していきました。

答弁は簡潔にまとめられ、再質問があっても、同じ答弁を繰り返すことが多く、事前通告のない質問については、答弁できない旨が返答されます。

このような答弁が、市議会本会議において数年にわたって繰り返された結果、一般質問と答弁が噛み合わなくなり、議員のストレスが蓄積されていきました。

## (二) ちぐはぐな答弁

一例を挙げてみましょう。これは、二〇一四(平成二十六)年六月市議会定例会の一般質問でのやり取りで、議事録を閲覧すれば誰でも見ることができます。点線部分は一部省略した箇所です。

鈴木議員「…防災拠点である小中学校における飲料水については、十分な備えがあるのか」

担当部長「…防災倉庫には、現在五〇〇ミリリットルのペットボトルが一二〇本備蓄されております。今後四年間で六〇〇本の備蓄を計画しております。このペットボトルの飲料水については応急的なものであり、順次給水車による給水活動を行います。また、各学校には受水槽などの設備が設置されておりますので、それらの水も利用しています」

鈴木議員「…一二〇本というのは一二〇人分ということでよろしいのでしょうか、それで足りるのか。今この時点で地震が起きたらどうなるのか、その辺についてお答え願います」

担当部長「…一二〇本と言うのはあくまでも応急的なものであり、…一〇〇から二〇〇名が避難をする可能性があると考えております」
鈴木議員「避難所の収容人数が三〇〇名から四〇〇名ということで一二〇本ということなのですけれども、…この一二〇本というのは少な過ぎると思うのです。…この一〇〇人くらいというのはどういったところを根拠に想定されているのですか…」
担当部長「…四年で六〇〇本の備蓄というものを考えています。…一つの避難所に六〇〇本あることを想定して、その後は先ほど申し上げたように給水車、受水槽という対応になります。五年間の保存期間ということで、一二〇本ずつ今後四年間を通じて六〇〇本を目指して備蓄をしていく、そういう計画で考えております」
鈴木議員「私が聞いたのは、場所によって違うと思いますが、一〇〇人ぐらいを想定しているということ、その根拠はどういうことだったのですけれども、いかがですか」
担当部長「…最終的には六〇〇本ということで先ほど申し上げましたが、現在備蓄されているものが一二〇本ということで、五年間の中で一二〇本ずつを更新するということで、五年後からは常時六〇〇本確保できるということで、現在たまたま一二〇本という配置になっております」
鈴木議員「よく聞いていただきたい。各地域で三〇〇名から四〇〇名ということで施設の収容人員は想定されている。しかし、それが全部来るとは考えていない、大体一〇〇人ぐらい来るのではないかと、そうおっしゃったけれども、その根拠は何なのか、…この一〇〇人というのはどこから出たのかということなのです。よく聞いてください。三回目ですよ」

担当部長「…避難に当たって必要な当面の本数を、一〇〇人程度の人が避難するという想定の中で一二〇本という用意をしておりますが、最終的には六〇〇本まで備蓄をしていきたいというふうに考えています」

鈴木議員「もうキリがないようなので、しようがないのですけれども、その一〇〇人程度というのは何を根拠に一〇〇人程度だと聞いているのです。私も静かに言っていますけれども、そろそろキレる寸前なのですけれども、…どこからそういった根拠が出るのか、科学的な根拠があって一〇〇人程度で足りると考えていらっしゃるのか…、いかがですか」

担当部長「…避難所にはそれぞれ収容人員があります。一〇〇人を…一二〇本の備蓄を行うことによって当面の応急対応をし、その後は各避難所からの補充を行うということの前提の中で、現在は一二〇本を備蓄しております」

大山議長「質問の趣旨を理解されていますか！　…」

議長が裁定に入るという、極めて異例の答弁ですが、質問に対して的確に答弁できていないのは、このやり取りからおわかりいただけるでしょう。その後、一旦休憩の後、住民の約一割で一八三名を想定している、という答弁でしたが、明確な算定根拠は示されませんでした。

この例のとおり、議会の一般質問の答弁は、作成された内容を忠実に読み上げ、それが繰り返されます。次第に無味乾燥な内容となり、市議会議員の皆さんも「執行部（市役所）の答弁とはこんなものか」と、半ば諦めのような感情さえ抱くようになっていきました。しかし、噛み合わない答弁ならまだいい方です。次第にエスカレートした無味乾燥な答弁は、不誠実さが増し、遂には、虚偽の答弁が出現する事態を招いてしまいました。

詳細は、後述の二〇一七（平成二十九）年度の一九四ページをご覧ください。

### （三）修正された予算案

二〇一八（平成三十）年三月の市議会定例会は、予算案を巡り大いに荒れました。

その争点は、敬老会に対する補助金交付の公平性に関してと、街路整備事業に伴う交通量調査の実施の必要性に関して、の二点でした。補助金の件は、「おとしよりを敬愛する集い」を廃止し、各地区や施設等で実施していくという施策変更に端を発したものです。

また、街路整備事業に伴う交通量調査の件は、「松高前通線（松山高校から箭弓稲荷神社へ向かう道路）」開通の際に予想される交通量の調査費用を巡り注文が付いたものです。

森田市長が提出した平成三十一年度予算案は、市議会予算特別委員会で修正され、本会議で修正案が可決されました。結果は、賛成十、反対十の同数でしたが、議長裁決により十一対十となりました。市長の提出した予算案に対し、見直しを求める修正案が可決されたのは、東松山市議会史上、初めての事態でした。

可決された修正案に対して、森田市長は地方自治法に基づき再議に付しました。再議に付された場合、出席議員の三分の二の以上の賛成がなければ修正案は否決されます。

結果は、出席議員二十人中、賛成、反対ともに十人となり三分の二を満たす十四人には届かず、修正案は否決されました。

再議に基づき、再度、森田市長から提出された原案を採決することとなりましたが、この場合は多数決によるので過半数で決します。賛成、反対同数が判明しているなかでは、議会の修正案の可決と市長の再議による修正案の否決を繰り返し、決着がつかないことも予想されました。

結局、修正案に賛成した議員が採決の際に退席したことにより、市長の原案が可決されました。森田市長の予算案に反対した議員が、採決を見送ることによって原案を通した形でした。

平成三十一年度、即ち、平成最後の年度の予算は、こうしてギリギリの攻防の果てに決着しました。

### (四) 不誠実な答弁

そして、極め付きが二〇一八（平成三十）年七月の市長選挙における中村教育長の森田光一氏への寄附金問題です。

同年十二月十三日の市議会定例会での、大内議員と中村教育長の一般質問のやり取りを議事録から引用してみます。点線部分は、一部省略した箇所です。

大内議員「…森田候補の選挙運動費用収支報告書の収入の部に、七月八日、寄附三万円、滑川町○○番…、中村幸一、職業、特別地方公務員とあるコピーを見るに至って愕然といたしました。…寄附金の事実を目の当たりにしたとき、(中村教育長の)再任の同意をした議員の一人として道義的責任を感じました。参考までに教育長の再任賛成は、全議員の総意でした。…中略…。なぜ、教育長は市民の誤解を招くような寄附行為をなさったのですか、その理由をお聞かせください」

中村教育長「森田市長の施策が東松山市政、とりわけ教育、子育ての分野での発展に寄与していただけると判断したためであります」

大内議員「…では、東松山市の特別公務員で教育長としてのお立場として寄附行為を行ってしまったことをどう思っていらっしゃるか、…学校の先生方や、教育委員会の職員たちをご指導なさる立場として、教育長の立場としての寄附行為をなぜ行ってしまったのか、それをお伺いいたします」

中村教育長「地方教育行政の組織及び運営に関する法律で、教育長は政党その他の政治的団体の役員となり、または積極的に政治運動をしてはならないと定められております。これにのっとって、その定められたとおりの法令を遵守しながら、今回の行為を行ったということであります。このことにより、教育長としての政治の中立性は揺らぐものではないと考えております」

大内議員「…教育長としての政治の中立性は揺らぐものではないとのご答弁に大いに疑問を感じるわけですが、…選挙期間中に渡したお金ならば、それは一般的に陣中見舞いとか軍資金とか呼ばれる選挙に勝つために使われるものとなります。…収支報告書にははっきりと名前、肩書き教育長とあるのは、その特定の候補者に対する明らかな応援活動の意思表明です。それを教育長が行ってよろしいのでしょうか。東松山市の子どもたちや東松山市の市民に向かってご答弁をお願いいたします」

中村教育長「…私は、…政党、その他の政治的団体の役員となっておりませんし、積極的に政治運動を行っていないという認識のもとで行ったものでございます」

大内議員「…今私が教育長に伺った再々質問は、なぜ寄附行為を行ったのですかという質問でありまして、応援活動云々のことは伺っておりません。質問に対する正しいお答えをお願いいたします」

中村教育長「…森田市長の施策が東松山市政、とりわけ教育、子育ての分野での発展に寄与していただけると判断したためであります」

大内議員「まさに行政答弁のスパイラルといいますか…。…仮に法的に問題がなかったとしても、…特定の候補者、しかもその方が任命権者であるならば、今回の寄附行為は教育長が行ってはいけない倫理に反する行為と思います…」

大内議員は、この後、贄田副市長の寄附行為に関しても質問を続けましたが、時間切れとなり、明確な答弁は得られませんでした。何れにしろ、この寄附行為を行った二人が東松山市在住なら違法行為となりますが、二人とも市外在住ですので、法的に追及されることはありませんでした。しかし、政治的に中立であるはずの教育長という立場から、倫理的、道義的に非難されることとなりました。

議会での言動は、時に法的問題以上に社会的な非難を浴びるということを認識していない教育長の言葉からは、空虚さが漂うだけでした。

大内議員の一般質問には、四十名ほどの傍聴者が訪れ、傍聴席を満席にしました。傍聴者の多くは、真剣な面持ちで中村教育長の答弁に耳を傾けていました。

大内議員の質問が終了すると、退席する傍聴者の一人が中村教育長へ向けて「恥を知れ！」と叱責の声を挙げました。その声は、議場に響きわたり、いつまでも私の耳から離れませんでした。

## 六　平成から令和へ

### （一）「元気創造」の施策

森田市長は、就任直後からマニフェストに示した施策を「スピード感をもって」矢継ぎ早に実施していきました。

二〇一一（平成二十三）年度には、太陽光発電補助制度の開始、中堅教員研修会師範塾の開催、二〇一二（平成二十四）年度には、県のエコタウンプロジェクト、健康長寿プロジェクトの実施、葛袋工業団地の造成、公用車に電気自動車を導入するなどしました。

二〇一三（平成二十五）年度には、電気自動車等補助金制度の導入、ポイ捨て禁止・路上喫煙禁止条例の制定、東武東上線サミット協定の締結、防災ラジオの配布等の事業を展開し、翌二〇一四（平成二十六）七月の市長選挙を制し、二選を果たしました。

二期目を迎えた森田市長は、「子ども」「環境」「健康長寿」「活性化」「安心安全」の五つをキーワードに事業を展開していきました。

二〇一五（平成二十七）年度には、子育て経験のある女性職員の採用、子育て支援センター「マーレ」の新築移転、農産物直売所「いなほてらす」の開設、宮城県東松島市と友好都市盟約の締結、デマンドタクシーの運行、市役所北側への分室の増築などを実施しました。

二〇一六（平成二十八）年度には、創業支援センターの設置、化石と自然の体験館の開館、くらかけ清流の郷のオープン、西武ライオンズと連携協力基本協定の締結、神奈川県伊勢原市と災害時基本協定の締結など、多くの事業を展開しました。

二〇一七（平成二十九）年度には、生ごみ処理容器キエーロの販売開始、東松山市應援團の設置、市民活動センターへの子ども広場の設置などの施策を展開し、東洋経済新聞社の住みよさランキングで埼玉県一位を獲得しました。

二〇一八（平成三十）年七月には市長選挙を制し、三選を果たしました。

平成最後の年度となる二〇一九（平成三十一・令和元）年度には、台風十九号（東日本台風）により葛袋・早俣・田木地区を中心に甚大な被害を受けました。これにより、四十二回目を迎えた日本スリーデーマーチは、史上初めて中止となりました。

また、年度末から翌二〇二〇（令和二）年度には、新型コロナウイルスが世界中に蔓延し、その影響で夏祭り、花火大会、市民体育祭、その他多くの行事が中止や延期を余儀なくされました。第四十三回日本スリーデーマーチも二年連続で中止となりました。

## （二）台風十九号の爪痕とその対応

西暦二〇一九年は、平成三十一年で「平成」最後の年であり、五月から始まった「令和」という新しい元号の幕開けの年でもありました。

この年の十月十二日から十三日にかけて、関東から東北地方を直撃した台風十九号は、東松山市に甚大な被害をもたらしました。本書は「平成」にスポットを当てて著したものですが、平成から令和へと時代が移り変わった直後の大きな出来事ですので、書き記しておこうと思います。堤防が決壊した都幾川周辺地域、特に早俣地区、田木地区、葛袋地区では、多くの民家が浸水し、そこに暮らす人々は避難しました。

この未曽有の水害で、死者二名（うち一名は災害関連死）、家屋全壊一二九戸、半壊・大規模半壊四〇二戸、一部損壊二三九戸、床上浸水五九二戸、床下浸水一二四戸、その他の被害五四戸（令和三年一月二十九日時点）という甚大な被害を受けました。被災された方は、一，六九六人に上ります。被災から一年が経過した時点で市に寄せられた義援金は、四，七九〇万円余りで、これに県からの義援金約二億二，六〇〇万円を加えた約二億七，三九〇万円が寄せられました。義援金は、全額被災の程度に応じて四六六件に分配されました。

被災後の市議会では、市の対応の遅さや不適切さなどが指摘され、執行部はそれを「検討」しました。

二〇二〇（令和二）年四月、新たな年度がスタートし、市役所の人事も刷新しました。私は、新たな人事を見て愕然としました。何故なら、災害対策本部のメンバーのほとんどが市外居住者だったからです。

東松山市災害対策本部の副本部長である副市長と教育長は滑川町居住、危機管理、総合調整、施設管理、都市インフラ、そして、現場の最前線で対応に当たる土木部門と東松山市役所の本部で指揮を執る立場の職員の多くが市外居住者という人事だったのです。果たしてこれで、非常事態の東松山市を守れるのでしょうか。

災害は、ある程度予見可能な水害だけではありません。地震は、何の前触れもなく突然発生します。その際、本部員はいち早く市役所へ参集しなければなりません。

本部員である以上、やはり、どう考えても居住地という地理的条件は考慮する必要があるはずです。それ故に、災害対策本部員の多くが市外居住者であるという人選に呆然としたのです。

東松山市職員である以前に東松山市民でもある私には、到底理解できない人事でした。

これが森田市政における「被災者に寄り添った対応」であり、今後のことを踏まえた適切な「検討」をした結果の人事なのでしょうか。

誤解のないように敢えて申し上げますが、災害対策本部員の居住地や危機管理能力、責任感を問題にしているのではありません。

東松山市の職員が、東松山市民である必要がないのは言うまでもないことです。有能な職員であれば、どこに住んでいようが、分け隔てなく登用するのが成績主義・能力主義を標榜する公務員任用の鉄則です。

しかし、災害時の役割は別です。「いざ！」というときに、「集合できない」「顔を出せない」では現場の最前線で陣頭指揮を執ることは不可能なのです。これは、本部が本部として機能しないことを意味します。

そして、「集まれない」「顔を出せない」大きな要因の一つが地理的要件、即ち、居住地なのです。市内居住であれば、「集まれない」「顔を出せない」という可能性は低いと言えます。しかし、市外居住となるとその可能性は格段に高まります。

非常時には、この可能性が問題となるのです。「集まれない」「顔を出せない」可能性を最小限に抑えることができなければ、市民の不安を抑え、命を守る行動を起こせないからです。

二〇二〇（令和二）年四月の災害対策本部員のような本部員の居住地を全く考慮しない人事は一刻も早く改善し、本気になって市民を守れる災害対策本部員の配置を、市民の一人として願うばかりです。

それにしても、二〇一一（平成二十三）年三月の東日本大震災や大きな爪痕を残した二〇一四（平成二十六）年二月の大雪、更には、二〇一九（令和元）年十月の東日本台風を経験していながら、何故、このような人事を行ったのでしょうか。

災害時において市民が一番頼りにしているのは、いち早く自分の前に駆けつけてくれる職員の姿だと思います。

### （三）新型コロナウイルスという見えない恐怖の到来

二〇一九（令和元）年十二月、中国の武漢市で発生した新型コロナウイルス感染症は、翌二〇二〇（令和二）年一月に日本でも感染者を出しました。以来、日本はもちろん、世界中で感染は爆発し、世界保健機構（ＷＨＯ）は「パンデミック（世界的大流行）」を宣言するに至りました。

東松山市役所では、二月に新型コロナウイルス対策本部を設置し、市での感染拡大防止策の協議を開始しました。

埼玉県では、東京都に近い南部を中心に感染者が確認され始めましたが、東松山市では、当初感染者は確認されませんでした。しかし、同年四月二日に初めての感染者が出て、市民の間にも不安と恐怖が急速に広がりました。その後、少しずつ感染者は増えていきました。

二〇二〇（令和二）年十一月上旬の全世界での感染者数は、約五千万人でしたが、二ヶ月後の二〇二一（令和三）年一月下旬には一億人を超え、急速に広まっています。日本国内での感染確認者総数は、一月末現在で約三十八万人、そのうち約五千人がお亡くなりになっています。

埼玉県内に限ってみますと、累計感染者数が二万四，〇九〇人のうち、東松山市民の感染者数は一七六人です。因みに、周辺の坂戸市では二一七人、鶴ヶ島市では一四九人、熊谷市では四七〇人、比企郡内の滑川町では二〇人、嵐山町では二五人、小川町では五六人、吉見町では八二人、ときがわ町では一七人、川島町では三三人となっています。こうして比較して見てみますと、東松山市内での感染者数は比較的少ないと言えるかもしれません。

新型コロナウィルス感染症が猛威をふるうなか、二〇二一（令和三）年四月から、市役所は新しい組織でこれらに対応することになりました。

これにより、災害や非常事態に対応する部署は、市長直轄ではなくなります。新型コロナウィルス対策本部を所管する組織を、今の時点で市長の直轄から外すというのは、どのような意図があるのでしょうか。

## (四) 令和への願い

二〇二〇（令和二）年度は、森田市長が就任十年を迎えた年でした。市長就任の年数から見ますと「円熟期」と言えるかもしれません。

しかし、令和の時代を迎えてからは、台風による水害や新型コロナウイルス感染症の拡大で思い描いた施策の展開が困難な状況となりました。

加えて、議会との関係も、懸念材料として挙げられます。

拮抗する「賛成」と「反対」の声の中で、どのように納得性のある説明ができるかに、今後の市政の行方がかかっているように思います。

就任当初、森田市長はマニフェストの実現に向けて「ひがしまつやま元気創造計画」を掲げ、元気な東松山チャレンジ一〇を示しました。その中の一つに「市長と教育委員会との連携強化」

がありますが、高坂小学校の通学区変更の際は、「通学区は教育委員会の専担事項」として教育委員会へ一任しました。

また、「地域活性化と広域連携」とありますが、東松山斎場への葬祭場建設の際は、比企広域市町村圏組合の決定事項として、一度は葬祭場の建設を見送りました。

そして、更に「危険回避と被害軽減」とありますが、二〇二一（令和三）年四月からは、災害や非常事態を所管する部署が市長直轄から外れることになりました。

これらを見ると、私には森田市長が自ら先頭に立ってマニフェストの実現に向けて努力しているように感じられません。

森田市長は、就任当初から「元気創造」を旗印に邁進しました。

企業誘致に力を入れ、葛袋、坂東山を開発したことにより、関越自動車道から丘陵を望む景色は大きく変わりました。また、国道四〇七号のベルク東側（藤曲地区）の開発に伴い、巨大な倉庫が建てられたことにより、吉見百穴の景観は遮られました。

更に、若松町のボッシュ工場跡地には、巨大な宗教施設が建設され、周辺の様相も変わりつつあります。

今のまちの姿を見て、「丘陵と緑と澄みきった青空につつまれた田園都市」を標榜した故芝﨑亨元市長はどう思うでしょうか…。

森田市長の目の前の結果を重視する政策が、五十年、百年後の東松山市民にどのような財産を残すのでしょうか…。

そんな思いに駆られる昨今です。

「元気創造」「住みたい、訪れたい、働きたい」という基本的な姿勢は朧気ながら理解できます。しかし、この先、五十年、百年先に、東松山はどこへ向かい、どのような姿を求めて進んで行くのでしょうか…。

これらの言葉だけで、東松山市の将来像を思い浮かべることができる人がどれ程いるでしょうか…。

人材についても然りです。ここ数年、職員の育成がとても疎かになってきています。財政難であることを理由に、研修や視察の機会が極端に減少しています。

一方で、任期付職員や会計年度任用職員（臨時職員）が増加しています。これらの職員は、業務の継続性、仕事の継承という点で、正規職員とは決定的な相違があります。

短期間の任用には効果的ですが、長期的展望に立った、視野の広い、柔軟性のある発想は育まれません。即ち、人材の「育成」も「活用」も停滞しているのが現状なのです。人材の少ない市役所では、決して「市民の役に立つ所」たり得ません。

この際ですから、不安材料として気付いた点を列挙しておきましょう。

▽市役所庁舎は、耐震補強したとはいえ、その躯体は五十年以上が経過しています。しかし、建

替えの見通しは全くありません…。
▽救急車の止まらない、多額の赤字を出し続けている市民病院は、いつまで続くのでしょうか…。市民は安心して命を託せる市民病院を求めています。
▽ごみ処理施設は老朽化が著しく、近い将来必ず改修か移築が必要になります…。
▽廃棄物埋立地も、将来必ず満杯になります…。
▽森林を伐採した傾斜地や休耕地等に乱立した太陽光発電施設は、果たして本当に環境にやさしいのでしょうか…。
▽多額の公金をつぎ込んだ大谷農林公園のいちごハウス…。これらの維持管理費は、これから毎年経常経費となります…。
▽東松山ぼたん園は、一日で約二十万円の経費がかかっている計算になります。指定管理者制度になる以前は、その半額以下でした…。
▽真冬に人工的に咲かせたぼたんの花を、いったいどれほどの人が楽しみにしているのでしょうか。
▽市街地である松葉町、美土里町等の下水道事業は遅々として進みません…。市街地での下水道普及率は依然として低いままです。
▽誘致した企業や既存企業に多額の奨励金を出し続けることが、果たして市民に幸せをもたらしてくれるのでしょうか…。
▽水害で住む場所や財産を失った皆さんに本当の笑顔が戻るのは、いつでしょうか…。

市で策定する十年先を示す基本構想や基本計画に、その具体策や見通しは明記されていません。

ここで、市の将来像を示した言葉を比較してみましょう。

「丘陵と緑と澄みきった青空につつまれた田園文化都市」

この言葉から、皆さんはどのような東松山の姿を思い浮かべるでしょうか。

私は、豊かな自然の中で、のどかで、平穏で、心に潤いを持った人々が笑顔で生活する姿を思い浮かべることができます。

一方、二〇二一（令和三）年度から施行される第五次東松山市基本構想後期基本計画で示された東松山市の将来像からは、どのような姿を思い浮かべることができるでしょうか。

示されている東松山市の将来像は、次のとおりです。

「住みたい、働きたい、訪れたい　元気と希望に出会えるまち　東松山」

ワクワク感あふれる快活な言葉が並べられています。皆さんは、この言葉からどのような東松山の将来像を思い浮かべることができるでしょうか。

受け止め方は人それぞれです。

私の印象は、「いったい誰に向けて発信しているのだろうか？」です。

東松山市の将来像ですので、それは当然市民へ向けて発信されるべき標語です。しかし、「住みたい、働きたい、訪れたい　元気と希望に出会えるまち　東松山」では、実際に現在、「住み、働き、そこで生活している」人たちはどうなるのか、全くわかりません。

まるで、観光や移住促進のパンフレットのように聞こえてしまうのです。

日々の生活を東松山市で営んでいる者の一人として、残念ながら、この言葉からは、笑顔で、穏やかに暮らしを営む東松山市民の姿を想像することができません。


「丘陵と緑と澄みきった青空につつまれた田園文化都市」

私にとって、東松山市の将来像は、今もこの言葉がしっくりくるのです。

どうか、五十年、百年先の未来へ視野を向けて、市民の皆さんが「元気」になるような、明るい展望を抱くことができる東松山市を「創造」していただくことを祈ります。

## ◇二〇一一（平成二十三）年度

「確かな暮らし　チャンスあふれる安心安全なまち東松山」の実現に向けて第五代東松山市長に就任した森田光一氏は、就任後初の施政方針で次の三つの基本姿勢を示しました。

**一　地域力・市民力の結集**
**二　公正透明な市政実現**
**三　市政運営から都市経営へ**

この三つの基本姿勢に加えて、「ひがしまつやま　元気創造計画」という森田氏が市長選挙においてマニフェストで示した施策を「スピード感をもって実現する」と表明しました。

市長就任後、約七か月間空席となっていた副市長には、四月から県職員を充てました。東松山市政史上（助役時代を含めて）、初めて迎えた県職員からの副市長であり、四十代後半の若き副市長でもありました。

前年度末の三月十一日に発生した東日本大震災では、市役所も大きな被害を受けました。幸い怪我人等は出ませんでしたが、庁舎内の天井や壁が崩落しました。

十一月の日本スリーデーマーチの期間中、東日本大震災で多くの死傷者を出すなど甚大な被害を受けた宮城県東松島市との間で災害相互応援協定を締結し、ウオーカーたちの前で調印式が執り行われました。

## 2011（平成23）年度

市　長：森田光一／副市長：小野寺亘／教育長：中村幸一

議　長：吉田英三郎（5月～）／副議長：大滝きよ子（5月～）

人　口：89,647人／世　帯：35,720世帯

職員数：744人（内再任用：21、任期付：16人、市民病院：162人）

総予算：516億4,264万円

（一般会計予算：262億7,000万円）　※4/1現在

### ＜主な出来事＞

4月　太陽光発電補助制度開始
県議会議員選挙が行われ、江野幸一氏当選
（投票率35.52%）
市議会議員選挙が行われ、21人が決定
（投票率52.25%）
5月　東松山師範塾（中堅教員研修会）開催
6月　市内放射線量測定開始
7月　都市計画マスタープラン改訂
アナログ放送が終了、地上デジタル放送開始
なでしこジャパンサッカー女子ワールドカップで優勝
9月　マスコットキャラクター「まっくん・あゆみん」誕生
10月　パスポートセンター受付開始。三角縁神獣鏡出土
日曜開庁第2・4日曜日を毎週日曜日午前に変更
11月　宮城県東松島市と災害相互応援協定締結
高坂駅東口第二特定土地区画整理事業完了（あずま町誕生）
三角縁神獣鏡出土
2月　埼玉県トラック協会小川・東松山支部と災害時物資輸送協定締結
3月　県道東松山鴻巣線バイパス開通

在職29年目：市民病院事務部医事課副主幹

前年三月十一日に発生した東日本大震災で甚大な被害を受けた地域、特に、当市と市名が一字違いという縁から災害相互支援協定を締結した宮城県東松島市へ二名の職員を支援要員として派遣しました。

年度当初の施政方針では「持続可能なまちづくり」を推進するため、次の三点を重要施策として取り組むことを示しました。

## ◇二〇一二（平成二十四）年度

**一「未来投資型」のまちづくり**
**二「安心・安全・生活快適」のまちづくり**
**三「みどりとエコ」のまちづくり**

一方で、二〇〇六（平成十八）年度から行っていた広島平和記念式典への中学生派遣事業を打ち切り、国際姉妹都市であるオランダ王国ナイメーヘン市への市民派遣団への職員の参加も見送りました。

九月の市議会定例会で「広島平和記念式典への中学生派遣の中止について」一般質問された森田市長は、担当部長に「多くの市民が参加できる事業への転換を図った」と答弁させました。質問した議員は、自ら答弁しなかった市長の姿勢を厳しく非難しました。その後、広島平和記念式典への中学生派遣事業は廃止されました。

この年、埼玉県の事業であるエコタウンプロジェクトと健康長寿プロジェクトの二事業の実施市に東松山市が指定されました。

## 2012（平成24）年度

市　長：森田光一／副市長：小野寺亘／教育長：中村幸一

議　長：吉田英三郎／副議長：大滝きよ子

人　口：89,660人／世　帯：36,163世帯

職員数：732人

（内再任用：20人、任期付：15人、市民病院：149人）

総予算：510億9,365万円

（一般会計予算：263億2,000万円）　※4/1現在

### ＜主な出来事＞

4月　課長試験制度導入後初の人事配置実施
子ども手当制度から児童手当制度へ
市役所に電気自動車用急速充電気設置

5月　埼玉県エコタウンプロジェクト実施市に指定
健康長寿埼玉プロジェクト実施市に指定
東京スカイツリー開業

6月　子ども安心安全基金「虹色ファンド」創設

8月　葛袋工業団地造成開始

9月　原動機付自転車オリジナルナンバープレート交付開始
和光市と災害時相互応援協定締結

11月　日本スリーデーマーチ第35回記念大会

12月　東松山市ホームページリニューアル
衆議院総選挙で自民・公明が大勝
第2次安倍内閣誕生

1月　東松山インフォメール配信開始

2月　広報ひがしまつやま創刊1,000号
公用車に電気自動車導入

在職30年目：地域生活部地域活動支援課平野市民活動センター副所長

## ◇二〇一三（平成二十五）年度

年度当初の施政方針で、森田市長は「安心長寿社会の形成」「地域内循環型経済の構築」「まちづくりを担う人づくり」の三つの目標を掲げ、持続可能な地域社会の実現に取り組みました。

特に、エコタウンの分野では、太陽光発電設備設置の推進を図り、家庭で設置する場合の補助制度を創設しました。また、電気自動車の普及促進を図るため、購入補助制度に加え、電気自動車用充電器を各市民活動センターに設置しました。

更に、「東松山のまちをみんなで美しくする条例」を制定し、駅周辺でのポイ捨てや路上喫煙を禁止しました。

他方、比企地域B級グルメ&特産品フェアの開催や東武東上線沿線サミット協定を締結するなど、観光を視野に入れた取り組みにも力を入れ始めました。

九月の市議会定例会では、それまで大項目方式といって、項目ごとに一括質問して一括答弁する方式を採用していましたが、一問一答方式を加え、議員は一般質問の方式を選択できるようになりました。これにより、質問と答弁が明確になりました。

九月市議会定例会の一般質問では、職員を自衛隊に体験入隊させる研修を実施したことに関する一般質問がありました。

この年度、二年で退任し県へ帰任した副市長に代わり、再度、県職員が副市長に選任されました。

## 2013（平成25）年度

市　長：森田光一／副市長：矢島謙司／教育長：中村幸一

議　長：大山義一（5月～）／副議長：堀越博文（5月～）

人　口：89,319人／世　帯：36,355世帯

職員数：730人

（内再任用：22人、任期付：30人、市民病院：141人）

総予算：525億9,274万円

（一般会計予算：267億5,000万円）　※4/1現在

### ＜主な出来事＞

| | |
|---|---|
| 4月 | 任期付職員倍増（15人から30人へ） |
| | 東松山のまちをみんなで美しくする条例制定（ポイ捨て禁止、路上喫煙禁止） |
| | 市民福祉センター「ソラーナ（旧総合福祉センター）」リニューアルオープン |
| | 電気自動車等補助金制度開始 |
| | 市民活動センターへ電気自動車用充電器設置 |
| | まちなかウオーキングコース策定 |
| | 日本銀行が異次元の金融緩和を決定 |
| 5月 | 比企地域B級グルメ＆特選品フェア開催 |
| 9月 | 議会一般質問の大項目方式に一問一答方式を加えた |
| | 市議会一般質問で職員の自衛隊入隊研修を問題視 |
| | 2020年夏季オリンピックの開催都市が東京に決定 |
| 10月 | 東武東上線沿線サミット協定締結 |
| | 県平和資料館リニューアルオープン |
| 3月 | 防災ラジオ千円で配布 |

在職31年目：地域生活部地域活動支援課平野市民活動センター副所長

随想録❻

## 「花《か》・歩《ほ》・梨《り》」プロジェクト

森田市長は、「地域力」を高めるために、市内七か所にある市民活動センター各所で、その地域の特色を活かした取り組みをすること命じました。

二〇一三（平成二十五）年当時、平野市民活動センターに在職していた私は、地域の特色と言われても、東平地区の「梨」しか思い当たりませんでした。

そんな折、地元の自治会長の一人がセンターの前を流れる滑川沿いに「ヒガンバナを植えよう！」と発案されました。春には白い梨の花、秋には真っ赤なヒガンバナでこの地域を飾ろう、という発想でした。

早速、地元の自治会長さんたちを集めて協議していただいたところ、集まっていただいた皆さん全員の賛同を得られました。自治会長さんをはじめ、地元の皆さんとともにヒガンバナの球根を植え、川沿い一面に咲くヒガンバナを夢見ながら作業が始まりました。

すぐに行動に移したのはいいのですが、地元の皆さんが額に汗して、願いを込めた事業にしては、「ヒガンバナの植栽事業」という看板では、何か物足りなさを感じました。

私は、地元の皆さんが英知を結集し、汗を流して取り組んだ事業であることにインパクトを与えたいと思いました。

そこで思いついたのが、「花（か）・歩（ほ）・梨（り）プロジェクト」です。

花は、春の梨の花と秋のヒガンバナです。花の色彩と季節感がイメージできます。

歩は、ウオーキングです。滑川の土手沿いの道は、ウオーキングや散策で地元の人たちはもちろん、スリーデーマーチのコースとしても設定されています。

そして、梨は地元東平地区の名産品です。梨の季節には多くの人が訪れ、その味を堪能します。この地域のことを思い浮かべ、その特徴を組み合わせて何とかたどり着いたのが、この「花・歩・梨プロジェクト」というタイトルでした。

地元自治会長の皆さんにこのことをお話しした際、どんな反応なのか、不安でいっぱいでした。しかし、地元の皆さんは好意的に受け入れてくださいました。

その後、ヒガンバナを植えたエリアには看板を立て、木製のベンチも設置しました。

新聞紙上にも掲載され、地元の皆さんの取り組みが市内外に広められました。

「平野市民活動センターで、私は何ができたのか」と思い返すとき、滑川の土手沿いを、地元の皆さんと一緒に歩き、草刈りをした思い出が浮かび上がってくるのです。

そして、今でも平野地区の皆さんとの交流が続いています。実にありがたいことです。

## ◇二〇一四（平成二十六）年度

「人と地域が元気で賑わいとやさしさがあふれるまち」の創造を森田市長は、市政の基本方針に掲げ、この年度はスタートしました。

市長選挙の年であることもあってか、この年の市議会は大いに揺れました。

前年度末の二月に大雪に見舞われた当市では、除雪作業に戸惑い、市民から多くの苦情や要望が寄せられました。大雪直後の三月市議会では、大雪前後の市長の所在と行動に質問が集中しました。また、商工会館建設に係る議会への説明不足や企業誘致に絡む市の姿勢が議会の不信感を増幅させました。

更に、森田市長の長男の比企広域消防本部への採用に絡み、年齢要件を十歳引き上げて長男を採用し、その後、年齢要件を元に戻すなどしたことへの不正採用疑惑なども市議会で追及されました。

市長と市議会との「対立」が顕在化する中で、七月に市長選挙が行われました。対立候補の松坂喜浩氏に四千票余りの差をつけ、森田光一氏が二選を果たしました。しかし、再選後も、市議会からは、市の施策に対する説明不足が指摘され、結果よりも経過の説明が強く求められました。

一方、任期付職員の大量採用がエスカレートし、二年連続で倍増となりました。事務職員の約一割に当たる六十人を超える人数は、県内でも異常な多さで、人事行政への懸念の声も挙がりはじめました。

## 2014（平成26）年度

市　長：森田光一／副市長：矢島謙司／教育長：中村幸一

議　長：大山義一／副議長：堀越博文

人　口：89,264人／世　帯：36,781世帯

職員数：768人

（内再任用：27人、任期付：62人、市民病院：144人）

総予算：556億3,097万円

（一般会計予算：276億7,000万円）　※4/1現在

**＜主な出来事＞**

4月　消費税増税（5%から8%に）
任期付職員２年連続で倍増（30人から62人へ）

6月　葛袋土地区画整理事業完了（坂東山誕生）
商工会館の建設を巡り市議会から説明不足を指摘
比企広域消防本部への市長の長男採用に絡む年齢要件引上理由を市議会で一般質問
企業誘致に絡む農地法違反問題を市議会で一般質問
葛袋地区企業誘致に絡む民間への利益供与問題を市議会で一般質問

7月　市長選挙が行われ、森田光一氏２選
（投票率47.56%）

9月　３月開催の市内料理店での市長を囲んだ会合と選挙との関連を市議会で一般質問
御嶽山噴火

１０月　市制施行60周年記念式典開催
東松山市観光大使「ピオニメイツ」誕生

在職32年目：地域生活部地域活動支援課平野市民活動センター副所長

## ◇二〇一五（平成二十七）年度

前年の市長選挙で再選を果たした森田市長は、「子ども」「環境」「健康長寿」「活性化」「安心安全」の五つをキーワードに事業を展開していくことを施政方針で示しました。

「子ども」の事業では、子育て経験を有する女性を市職員に採用しました。「健康長寿」の事業では、市民文化センターでのお年寄りを敬愛する集いを地域や施設で行う敬老会へと再構築しました。鞍掛橋周辺は、バーベキューができる遊興エリアとして整備を進めました。

比企広域市町村圏組合で運営する東松山斎場は、葬祭場を設置せず、火葬だけを行う施設として再整備する方針を打ち出しました。一方で、斎場への葬祭場設置を求める地元市民からの声も挙がりました。十二月市議会定例会での一般質問の答弁で「葬祭場廃止の方向で進め再検討しない」と答弁した森田市長でしたが、その後、市民要望に圧される形で葬祭場設置へと方針転換を余儀なくされました。

他方、東松山市出身の梶田隆章先生がノーベル物理学賞を受賞したことを契機に、「ノーベル賞受賞者のまち」として東松山市を市内外にPRしました。

JA埼玉中央に三億円を支援しオープンさせた東松山農産物直売所「いなほてらす」は、市内に道の駅の設置を要望していた市民からの好評を得ました。

施策展開の「スピード感」は、「説明不足」や「強引さ」を伴い賛同と非難とが錯綜する市民感情を生みました。

## 2015（平成27）年度

市　長：森田光一／副市長：贄田美行／教育長：中村幸一
議　長：堀越博文（5月～）／副議長：南　政夫（5月～）
人　口：89,489人／世　帯：37,417世帯
職員数：786人
（内再任用：26人、任期付：68人、市民病院：149人）
総予算：577億4,197万円
（一般会計予算：288億5,000万円）　※4/1現在

＜主な出来事＞

| | |
|---|---|
| 4月 | 子育て経験の女性職員採用 |
| | 埼玉中部資源循環組合（ごみ処理の広域化に伴う一部事務組合：８市町村）設立（事務局：吉見町） |
| | 県議会議員選挙が行われ、松坂喜浩氏、横川雅也氏初当選（投票率43.38%） |
| | 市議会議員選挙が行われ、21人が決定（投票率50.13%） |
| 9月 | 第9回全国やきとリンピック＆東松山市産業フェスタ開催 |
| １０月 | 子育て支援センター「マーレ」新築移転 |
| | 戦没者追悼式・平和記念式典開催 |
| １１月 | 東松山農産物直売所「いなほてらす」オープン |
| | 宮城県東松島市と友好都市盟約締結 |
| １２月 | 梶田隆章先生ノーベル物理学賞受賞 |
| | デマンドタクシー運行開始 |
| | 市役所北側に分室増築 |
| | 埼玉中部資源循環組合に川島町が加入 |
| 1月 | 梶田隆章先生に名誉市民の称号を贈る |
| 2月 | 県道岩殿観音南戸守線バイパス完成 |

在職33年目：環境産業部生活環境課長

随想録❼

## アライグマとのイタチごっこ

二〇一五（平成二十七）年四月、私は人事異動により環境産業部生活環境課長へ着任しました。就任早々、テレビ局からアライグマの被害状況についての取材を受けました。お恥ずかしいことに、私はそれまでアライグマについて全く知識がありませんでしたので、捕獲の現場や被害状況を現地へ出向いて自分の目で確認しました。

すると、想像以上の生態と繁殖力、その被害状況に驚愕しました。

アライグマは雑食性で、果実や木の実、野菜、魚類、昆虫や甲殻類、鳥類、小型哺乳類等々、何でも食べる食性があり、日本では在来種のタヌキやアナグマなどを抑えて生態系の頂点に立つ中型の特定外来生物ということがわかりました。

天敵がいないことに加えて極めて繁殖力が強く、メスは一歳になると出産可能となります。春から夏にかけて出産し、一回で三～五頭を出産します。オス・メスの比率は、メスが約六割でオスより多く生まれます。オスより多いメスは、更に繁殖を繰り返していきます。生育するとオス・メスともに単独行動をとります。

本来は、樹洞などに巣を作りますが、捕獲されるアライグマの多くは家屋・物置の屋根裏や壁の間等に巣を作ります。

アライグマは夜行性で、夜になると果樹や畑の作物を食い荒らしたり、家畜を襲ったりします。また、家屋の屋根裏に巣を作られると、眠れない毎日を過ごすことになります。アライグマの寿命は、十五年前後と言われています。

当時、埼玉県内で捕獲されるアライグマの数は約三千頭余りで、そのうち三百頭余りが東松山市で捕獲されていました。何と、埼玉県内で捕獲されるアライグマの総数の十分の一が東松山市で捕獲されていたのです。

そもそも、何故、野生化したアライグマが県内で繁殖したのでしょうか。

諸説ありますが、「ペットとして飼育していたアライグマを飼えなくなって捨てた」というのが有力です。アライグマは、可愛らしい顔をしていますが、決して人には懐きません。飼い主でも、歯をむいて噛みつきます。飼い主は、そのような習性を知らずにペットとして飼い、手を焼いて捨てたのでしょう。結局は、人間のエゴが招いたことなのです。

二〇二〇（令和二）年になると、その捕獲数はひと月で一〇〇頭近くという状況も出てきました。たった数年前の三～四倍になる計算です。「アライグマの捕獲と繁殖とのイタチごっこ」という笑うに笑えない状況なのです。今はまだ、市街地での被害は少ないようですが、市街地での被害の増加も時間の問題だと思います。

現場で身をもって経験した私は、近い将来、アライグマに対して本腰を入れて駆除しなくてはならない日が来ると思っています。杞憂であって欲しいものです…。

## ◇二〇一六（平成二十八）年度

この年度当初の施政方針で森田市長は、前年にノーベル物理学賞を受賞した東松山市出身の梶田隆章博士に因んで「ノーベル賞受賞者のまち」をPRしました。

また、第五次東松山市総合計画を策定し、この年度から十年間の目指すべき将来像を「住みたい、働きたい、訪れたい　元気と希望に出会えるまち　東松山」としました。

観光・産業・子育ての三分野を大きな柱と位置付けながら、総合計画では次の六つをまちづくりの柱としました。

**一　子どもたちが健やかに成長する　学びのまち**
**二　誰もが自分らしく輝ける　健康長寿のまち**
**三　自然と調和する環境未来・エコのまち**
**四　快適に暮らせる　安全のまち**
**五　元気で活力のある　にぎわいのまち**
**六　人と地域がつながる　支え合いのまち**

この六つの柱に「子ども」「健康・福祉」「環境」「生活・基盤」「活性化」「協働」という言葉がリンク付けられています。

創業支援センター、化石と自然の体験館、くらかけ清流の郷など新たな施設が矢継ぎ早に整備されました。

## 2016（平成28）年度

市　長：森田光一／副市長：贄田美行／教育長：中村幸一

議　長：堀越博文／副議長：南　政夫

人　口：89,656人／世　帯：37,964世帯

職員数：805人

（内再任用：32人、任期付：60人、市民病院：156人）

総予算：591億5,271万円

（一般会計予算：293億7,000万円）　※4/1現在

＜主な出来事＞

4月　創業支援センターオープン
　　化石と自然の体験館開館
　　総合会館貸出開始
　　熊本地震発生
5月　くらかけ清流の郷オープン
　　市民病院南館開館
6月　生ごみ処理容器キエーロ市民モニター募集
　　梶田隆章基金創設
　　選挙権が20歳以上から18歳以上へ引き下げられる
　　（改正公職選挙法施行）
7月　オランダ王国ナイメーヘン市と姉妹都市提携20周年
8月　都幾川稲荷橋の河川敷で16歳の少年が遺体で発見
9月　お年寄りを敬愛する集い
10月　東松山観光大使「ピオニメイツ」2期生誕生
11月　ふるさと納税返礼品提供開始
1月　西武ライオンズと連携協力基本協定締結
　　ドナルド・トランプ、アメリカ合衆国大統領に就任
2月　神奈川県伊勢原市と災害時基本協定締結

在職34年目：環境産業部廃棄物対策課長

随想録❽

## 生ごみ処理容器「キエーロ」との出会い

先述しましたが、二〇一五（平成二十七）年四月、私は人事異動により環境産業部生活環境課長に着任しました。ごみ処理と環境全般を担当するセクションでした。前任者から引き継いだ課題の一つが、電気式生ごみ処理器の購入補助制度の見直しでした。

当時は、電気式生ごみ処理器を購入すると、市から補助金が支給されていましたが、東日本大震災を境に節電が叫ばれ、家庭の電気を使って生ごみ処理を推奨することへの疑問が呈されていました。購入補助制度を廃止するだけなら事は簡単だったのですが、補助事業を打ち切るには、各家庭で簡易に取り組める生ごみ処理の新たな方策を提示する必要がありました。

半年間、私は、人脈や文献、インターネット等でベストな方策を探り続けました。そこで目に留まったのが「キエーロ」でした。「ベランダでキエーロ」というタイトルで、土を入れただけの木製の箱の中でごみが消えるというものでした。一戸建でも、マンションのベランダでも設置でき、箱の中に土を入れ、土の中に生ごみを埋めるとそれが数日で「消える」という触れ込みでした。「キエーロ」の名は、生ごみが「消える」ことに由来します。

「これなら、いけるかもしれない」と私は直観し、早速、キエーロの詳細を調べてみました。

考案者は、神奈川県葉山町に住む松本さんという方でした。松本さんの地元である葉山町では既にキエーロによる取り組みを始めていました。埼玉県内でも二市で取り組み始めていたところでした。

私は、現物を見て確認しようと思い、神奈川県葉山町役場と松本さんのお宅に足を運びました。葉山町役場では、正面玄関にキエーロが設置されていました。キエーロの仕組みは実に簡素なものでした。元々土の中にいる微生物の力を、太陽の光と適度な風通しと湿気により最大限発揮させることによって、生ごみを分解させるというものでした。生ごみ処理で一番気になる臭いも虫も発生しないという触れ込みです。

私は、早速、試作品を作り、自宅の小さな庭の片隅に設置してみました。まず、自分の目で確かめてみないと、その効果はわかりません。約二か月間でしたが、たった一人でその効果を検証してみました。

結果は素晴らしいものでした。晩秋でしたが、天気のいい日が続けば五日前後で生ごみが「消え」ました。臭いもなく、虫も発生しませんでした。

考案者の松本さんに東松山市でキエーロを導入したい旨を伝えると、同氏が取得した実用新案の権利を無償で使用することを快諾してくださいました。

着任して一年後、神奈川県葉山町と同じように、東松山市役所の玄関脇にキエーロを設置することができました（現在は、撤収されてしまいました）。

## ◇二〇一七（平成二十九）年度

住みよさランキングで県内一位となった一方で、市議会議員からの一般質問では「観光は市民の望みではない」「企業誘致により景観が損なわれた」「通学区の変更は子どもたちファーストではない」等、観光・産業・子育てを柱とした三分野への批判も相次ぎました。

特に、中村教育長の答弁には、市議会議員から非難や質問が集中しました。

議員はもちろん、市職員も市民も「東松山師範塾」は、市長がマニフェストに掲げた施策であり、「市長の発案」と理解していましたが、二〇一七（平成二十九）年三月の市議会での大内議員の一般質問の答弁で「師範塾の発案者は、私、教育長です」と発言しました。この答弁に、市長も副市長も、そして幹部職員も、誰一人として教育長の言葉を否定する者はいませんでした。誰もが発案者であると思っていた当の本人である森田市長が否定しなかったのですから、当然と言えば当然です。

しかし、二〇一〇（平成二十二）年九月の市議会での吉田議員の一般質問の答弁で、森田市長は「東松山師範塾を開設し、市長と教育委員会の連携強化を図ってまいります」と明確に答弁しています。また、二〇一一（平成二十三）年の広報ひがしまつやま一月号の年頭のあいさつでも、森田市長は師範塾について言及しています。更に、二〇一二（平成二十四）年六月の市議会での小野議員の一般質問の答弁からも師範塾の発案者が森田市長であることは議事録からも明らかです。一方で、過去の市長の発言や答弁とは異なった中村教育長の発言も議事録に記されることになりました。

どのような理由があるとしても、議場での嘘は、決して許される行為ではありません。

## 2017（平成29）年度

市　長：森田光一／副市長：贄田美行／教育長：中村幸一

議　長：岡村行雄（6月～）／副議長：高田正人（6月～）

人　口：89,956人／世　帯：38,693世帯

職員数：812人

（内再任用：32人、任期付：65人、市民病院：156人）

総予算：577億2,977万円

（一般会計予算：296億円）　※4/1現在

**＜主な出来事＞**

4月　野本市民活動センターリニューアルオープン
生ごみ処理容器キエーロ販売開始
子育て世代包括支援センターオープン
夢灯路開催
子ども広場を各市民活動センターに設置

6月　高田博厚没後30年記念イベント「思索の灯」開催
東松山市應援團員8名委嘱
東洋経済新聞社の住みよさランキングで東松山市が
埼玉県1位、関東26位、全国113位
（6/19現在：814都市対象）

8月　東松山都市計画事業藤曲土地区画整理事業完了
（仲田町誕生）

9月　陸上男子100mで桐生祥秀が日本人初の9秒98のタイムを記録

10月　立憲民主党誕生

11月　日本スリーデーマーチ第40回記念大会

在職35年目：会計管理者

## ◇二〇一八（平成三十）年度

「観光振興」「産業振興」「子育て支援」を三つの柱に、国県の交付金、補助金を十分に活用しながら、戦略的に取り組むことで交流人口、定住人口の増加を図り、将来にわたって持続可能な魅力あるまちづくりを目指していきます。

年度当初の施政方針で、こう宣言した森田市長は、七月の市長選挙を制し、三期目を迎えました。

六月の市議会で坂本議員は、若松町二丁目の巨大な宗教施設建設に伴い周辺住民が反対運動を起こしていることに関して、森田市長に見解を求めました。

答弁に立った森田市長は、法的不備がないことを理由に、住民の話し合いによる理解を求めました。坂本議員は当該地区に従前から地区計画の変更をすることを求めていて、地区計画の変更をしておけば建設には至らなかったことを指摘しましたが、森田市長は答弁を担当部長に任せ、自身の見解を示しませんでした。

十二月及び三月の市議会では、七月に実施された市長選挙に伴い、贄田副市長と中村教育長が、候補者である森田光一氏に対し、各人がそれぞれ三万円寄附していた行為が、大内議員と蓮見議員から相次いで一般質問されました。

二人がともに市外在住ということで、法的には寄附は可能(市内在住なら違法行為)ですが、特に、教育長の寄附行為は「教育の政治的中立性」という観点から厳しく追及されました。市議会との対立は、深みにはまっていく様相を呈しました。

## 2018（平成30）年度

市　長：森田光一／副市長：贄田美行／教育長：中村幸一
議　長：岡村行雄／副議長：高田正人
人　口：90,033 人／世　帯：39,315 世帯
職員数：808 人
（内再任用：31 人、任期付：61 人、市民病院：154 人）
総予算：581 億 4,938 万円
（一般会計予算：299 億 9,000 万円）　※4/1 現在

＜主な出来事＞

| | |
|---|---|
| 4月 | 東松山駅ぼたん園リニューアルオープン<br>「まなびのみち」オープン<br>きらめきクラブのもと・さくらやまオープン<br>東松山観光大使「ピオニメイツ」３期生誕生<br>総合行政システム災害協定を県内六市（東松山・本庄・羽生・深谷・和光・幸手）とＡＧＳ（コンピュータ・システム会社）で締結 |
| 5月 | 化石と自然の体験館入館２万人達成 |
| 6月 | 市議会で若松町２丁目「真光正法之会」神殿建設問題を坂本俊夫議員が一般質問 |
| 7月 | 市長選挙が行われ、森田光一氏３選 |
| 8月 | 市の川特定土地区画整理事業完了（美原町誕生） |
| １１月 | 金谷の餅つき踊り８年ぶりに復活<br>自主避難所（北地区・市民・唐子体育館）運用開始 |
| １２月 | 市議会で市長選挙における教育長の寄附行為の政治的中立性を大内一郎議員が一般質問 |
| 3月 | 市議会で市長選挙における教育長の寄附行為の政治的中立性を蓮見節議員が一般質問 |

在職 36 年目：会計管理者

## ◇二〇一九（平成三十一・令和元）年度

平成最後の年度は、一般会計予算額が初めて三百億円を超えました。また、予算案に関しては、二年連続で市議会からの注文がつきました。特に、この年度の予算に関して、一旦は修正案が可決され混迷の様相を呈しましたが、市議会本会議では否決され、再議によって漸く成立したものでした。

一方、二〇一五（平成二十七）年四月に、ごみ処理の広域化に向けて設立した埼玉中部資源循環組合は、八月の組合議会で管理者である吉見町長が辞意を表明し、年度末に解散しました。組合設立前の準備期間を含めて七年余りにわたる協議が全て水泡に帰しました。私は、組合設立時の二〇一五（平成二十七）年四月から二年間、組合を構成する市町村の担当課長の協議体である幹事会へ参加させていただきました。

協議に参加した当初に不安を抱いたのが、規約や基本計画中に付帯施設の建設内容やその管理運営に係る負担割合の明示がなく、先送りにしたまま事業が進められているという事実でした。当時の私の不安が的中する形で組合は解散してしまいました。

十月十二日に東松山市を直撃した台風十九号（後に「東日本台風」と命名）は葛袋・早俣・田木地区に甚大な被害をもたらしました。

これにより、日本スリーデーマーチは四十二年の大会史上初めて中止となりました。

また、新型コロナウイルスが蔓延し、二月には世界保健機構（ＷＨＯ）がパンデミックを宣言すると、三月には東京オリンピック開催の一年延期が決定されました。

## 2019（平成31・令和元）年度

市　長：森田光一／副市長：贄田美行／教育長：中村幸一
議　長：福田武彦（5月～）／副議長：大内一郎（5月～）
人　口：90,207人／世帯：40,026世帯
職員数：813人
（内再任用：27人、任期付：60人、市民病院：160人）
総予算：586億1,742万円
（一般会計予算：308億7,000万円）　※4/1現在

### ＜主な出来事＞

4月　政府が新元号「令和」を発表
　　　市議会議員選挙が行われ、21名が決定

**5月1日**
**改元「平成」から「令和」へ**

8月　農林公園リニューアル開園。こども医療費助成拡大
9月　ラグビーワールドカップ日本大会で日本代表8強入り
10月　消費税増税（8％から10％へ）
　　　台風19号（東日本台風）により甚大な被害発生
11月　第42回日本スリーデーマーチ中止（中止は史上初）
12月　農林公園グランドオープン
1月　中国武漢市新型コロナウイルスが世界中に蔓延
2月　市制施行65周年記念式典開催
　　　きらめき市民大学が優良市民大学に認定
　　　東松山消防団が国土交通大臣表彰・消防庁長官表彰
　　　新型コロナウイルス対策本部設置。新型コロナウイルスで世界保健機構（WHO）パンデミックを宣言
3月　市道12号線全線開通。東京オリンピックの開催を1年延期することを決定（延期は史上初）
　　　埼玉中部資源循環組合解散

在職37年目：会計管理者

## ◇二〇二〇（令和二）年度

自然災害や世界的な疫病の蔓延に見舞われた新しい時代「令和」。

急がなければならない災害復旧復興でしたが、新型コロナウイルスの蔓延が、復旧復興作業を阻みました。

感染拡大防止策として執られたのは、事業の中止や延期策でした。市内で行われるはずだったほとんどの事業は中止又は延期されました。

新型コロナウイルスの感染拡大防止策は、「三密」という言葉を生みました。「三密」とは、密接した交流を避ける、密集した場に行かない・作らない、密閉した空間を作らないことを意味しました。

また、「新しい生活様式」という名の下に、テレワークやリモート授業など、職場や学校に行かずに仕事や授業を受けられる社会が急速に構築され始めました。

新型コロナウイルスの蔓延は、人類の生活様式やコミュニケーションの在り方を根本から変えてしまう勢いです。世界経済も大打撃を受け、今後、地方自治体の予算も相当厳しい状況になることでしょう。

三十八年前に希望で胸をいっぱいにして東松山市役所に入庁した私は、この混沌とした状況下で退職することを予想だにしませんでした。

今は、一日も早いコロナ禍の終息を祈るばかりです。

## 2020（令和2）年度

市　長：森田光一／副市長：贄田美行／教育長：中村幸一
議　長：福田武彦／副議長：大内一郎
人　口：90,187人／世　帯：40,577世帯
職員数：815人
（内再任用：27人、任期付：60人、市民病院：158人）
総予算：585億5,400万円
（一般会計予算：301億6,000万円）　※4/1現在

＜主な出来事＞

4月　国内に緊急事態宣言発令（7日）
　新型コロナウイルス感染拡大防止策として多くの事業が中止又は延期の発表
　敬老祝金支給を100歳10万円から5万円に変更
　東松山観光大使「ピオニメイツ」4期生誕生
5月　森田市長、新型コロナウイルス感染拡大防止に向けた緊急メッセージを広報紙で発信
　夏祭り・花火大会・市民体育祭中止決定
　第43回日本スリーデーマーチ中止決定
　緊急事態宣言解除（25日）
6月　特別定額給付金（全国民に一律10万円）支給開始
7月　公共施設貸出等再開（前年度3月から中止していた）
　中小企業・個人事業主応援金支給開始
　東松山市持続化応援金支給開始
9月　サーマルカメラ導入。マイナポイント事業開始
11月　どこでもウオーキング実施
12月　防災行政無線完全デジタル化
1月　成人式を2部制（午前・午後）で実施
　2度目の緊急事態宣言発令（7日）
　ジョー・バイデン、アメリカ合衆国大統領に就任

在職38年目：会計管理者

# おわりに

二〇二一（令和三）年三月三十一日、私は、三十八年間勤務した埼玉県東松山市役所を六十歳で定年退職しました。

人生百年時代と言われる昨今、再任用職員として継続して市役所へ勤務することも可能でしたが、定年後は市役所の外から愛する郷土東松山を見つめていこうと思い、敢えて辞する道を選びました。

東松山市役所職員として過ごした三十八年の間に三人の市長の下で仕事をしてきましたが、その歳月を振り返って、今つくづく思うのは、「市長の考え方や行動力、更には、人柄によって、市の姿が大きく変わる」ということです。

しかし、どんな市長の下で働かせていただいても、私は、

「市役所の職員の仕事は何ですか？」

と問われれば、

「市民の皆さんが幸せに生活するためのお手伝いをすることです」

と答えてきました。

まちのデザイン、例えば、公共施設の形や色、道の形状や材質、マンホールの図画に至るまで、全て職員の考え方やセンスが現れます。それは、そこで生活する市民の幸せに直結します。ですから、職員の考え方もセンスも、すべて「市民の皆さんが幸せになるため」でなくてはならないと思うのです。


身近な例を挙げましょう。

私が大好きな松山第一小学校前の桜並木の歩道。

毎日、通勤や散歩で歩いた道です。

桜の時期になるとそこを歩くのが、一段と楽しみになります。

満開の桜の下を歩くと春の訪れを感じます。

子どもたちの賑やかな声が響き渡り、近所の人たちは、歩道の桜並木に春の訪れとその景観に心を躍らせます。

真夏には、心地よい木陰をもたらしてくれます。

蝉の声の下を日焼けした子どもたちが元気に行き交い、近所の人たちは、深緑の木陰に清涼を求めて散策に訪れます。

秋には木の葉が舞い、子どもたちは木の葉で遊びます。

散策や散歩の人たちは、散り行く落ち葉に、季節の移ろいと、やがて訪れる冬の備えに思いを馳せます。

その桜の老木が毎年のように一本、また一本と伐採され、その跡はコンクリートブロックやアスファルトで固められています。

二〇二〇（令和二）年八月のお盆前には、一気に五本の桜の老木が伐採されました。

この年は、連日酷暑が続いていました。

「猛暑なのに、なぜ切っちゃったの？」

「今、木陰をなくして何をするの？」

「誰が切れって言ったの？」

毎日通る歩道で出会った老齢の女性から、こんな声を聞きました。

連日、気温が摂氏四十度近くまで上がる日が続いていた最中の出来事でした。

このまま黙って見過ごしていれば、松山第一小学校前の歩道は、数年後には無味乾燥なコンクリートとアスファルトだけの歩道になってしまうかもしれません。

街路樹は、市民のオアシスです。そのオアシスを毎日学校に通う子どもたちや近所の人たちが行き交います。

「また、桜の苗木を植えましょう！」

そんな声が市民の皆さんから挙がるとき、市民の皆さんと一緒になって、考え、額に汗する職員が一人でも多くいてくれることを期待しています。

市民の皆さんが幸せに生活するためのお手伝いをするために…。

本書の内容は、かなり私見や主観が多く、偏った内容であることは承知しています。しかし、それでも私はペンを執らずにいられませんでした。それは、このまち東松山市が大好きだからです。

本書は、私が東松山市役所職員として勤務した三十八年間の内、三十年余りが「平成」という時代と重なり合っていたことに着目して、その記憶と記録を書き綴ったものです。

歴史という視点からではなく、ある意味自分史的で経験に基づいた内容となったことをお許しいただきたいと思います。

退職する年が、奇しくもコロナ禍の年となり、一年延期された東京オリンピックの開催も危ぶまれています。全世界の人々がコロナ禍を克服し、平穏な日常を一日も早く取り戻すことを願って止みません。

本書が、東松山市で生活する皆様の幸せづくりの一助となれば、この上なく幸せです。

三十八年間お世話になった東松山市民の皆様と東松山市役所に感謝を込めて…

二〇二一（令和三）年四月吉日　　著者

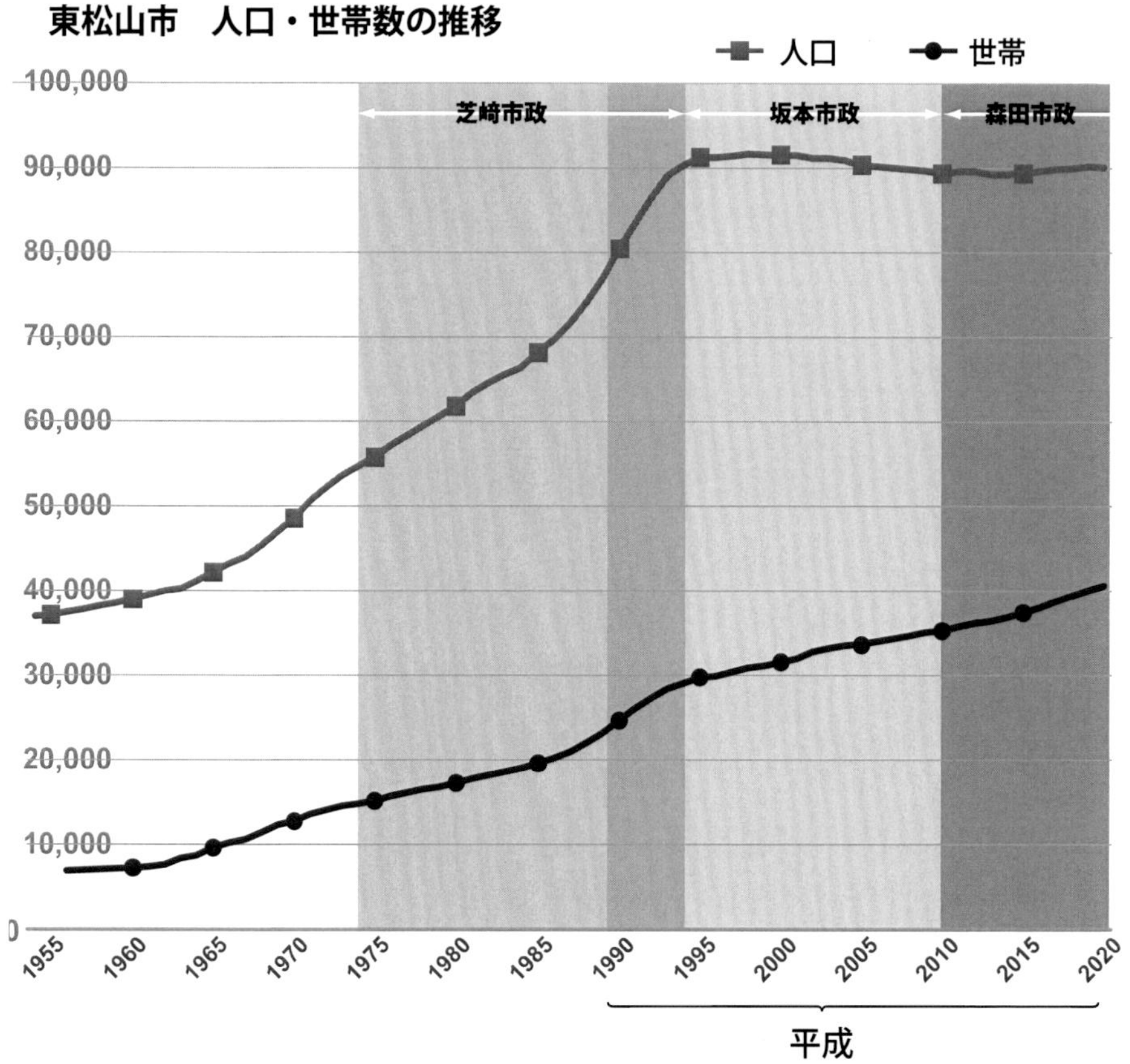
東松山市　人口・世帯数の推移
人口
世帯
100,000
90,000
80,000
70,000
60,000
50,000
40,000
30,000
20,000
10,000
0
芝崎市政
坂本市政
森田市政
1955
1960
1965
1970
1975
1980
1985
1990
1995
2000
2005
2010
2015
2020
平成

| 年月日 | 人口 | 世帯 |
|---|---|---|
| 1995(H7)/4/1 | 91,323 | 29,744 |
| 1996(H8)/4/1 | 91,305 | 29,922 |
| 1997(H9)/4/1 | 91,492 | 30,395 |
| 1998(H10)/4/1 | 91,746 | 30,871 |
| 1999(H11)/4/1 | 91,619 | 31,158 |
| 2000(H12)/4/1 | 91,557 | 31,551 |
| 2001(H13)/4/1 | 91,565 | 31,950 |
| 2002(H14)/4/1 | 91,264 | 32,798 |
| 2003(H15)/4/1 | 91,252 | 33,195 |
| 2004(H16)/4/1 | 90,990 | 33,509 |
| 2005(H17)/4/1 | 90,417 | 33,640 |
| 2006(H18)/4/1 | 90,229 | 34,030 |
| 2007(H19)/4/1 | 90,114 | 34,343 |
| 2008(H20)/4/1 | 89,891 | 34,665 |
| 2009(H21)/4/1 | 89,731 | 35,046 |
| 2010(H22)/4/1 | 89,416 | 35,273 |
| 2011(H23)/4/1 | 89,647 | 35,720 |
| 2012(H24)/4/1 | 89,660 | 36,163 |
| 2013(H25)/4/1 | 89,319 | 36,355 |
| 2014(H26)/4/1 | 89,264 | 36,781 |
| 2015(H27)/4/1 | 89,489 | 37,417 |
| 2016(H28)/4/1 | 89,656 | 37,964 |
| 2017(H29)/4/1 | 89,956 | 38,693 |
| 2018(H30)/4/1 | 90,033 | 39,315 |
| 2019 (H31・R1)/4/1 | 90,207 | 40,026 |
| 2020(R2)/4/1 | 90,187 | 40,577 |

| 年月日 | 人口 | 世帯 |
|---|---|---|
| 1954(S29)/7/1 | 36,963 | |
| 1955(S30)/4/1 | 37,137 | |
| ⋮ | ⋮ | |
| 1960(S35)/4/1 | 39,018 | 7,237 |
| ⋮ | ⋮ | |
| 1965(S40)4/1 | 42,214 | 9,617 |
| ⋮ | ⋮ | |
| 1970(S45)/4/1 | 48,659 | 12,717 |
| 1971(S46)/4/1 | 50,639 | 13,531 |
| 1972(S47)/4/1 | 52,157 | 14,069 |
| 1973(S48)/4/1 | 53,627 | 14,543 |
| 1974(S49)/4/1 | 54,767 | 14,796 |
| 1975(S50)/4/1 | 55,816 | 15,117 |
| 1976(S51)/4/1 | 57,163 | 15,650 |
| 1977(S52)/4/1 | 58,380 | 16,107 |
| 1978(S53)/4/1 | 59,523 | 16,486 |
| 1979(S54)/4/1 | 60,651 | 16,778 |
| 1980(S55)/4/1 | 61,871 | 17,211 |
| 1981(S56)/4/1 | 63,460 | 17,688 |
| 1982(S57)/4/1 | 64,557 | 18,118 |
| 1983(S58)/4/1 | 65,560 | 18,565 |
| 1984(S59)/4/1 | 66,411 | 18,990 |
| 1985(S60)/4/1 | 68,169 | 19,577 |
| 1986(S61)/4/1 | 69,789 | 20,168 |
| 1987(S62)/4/1 | 71,760 | 20,928 |
| 1988(S63)/4/1 | 74,197 | 21,967 |
| 1989 (S64・H1)/4/1 | 76,978 | 23,148 |
| 1990(H2)/4/1 | 80,480 | 24,657 |
| 1991(H3)/4/1 | 83,520 | 26,004 |
| 1992(H4)/4/1 | 86,480 | 27,273 |
| 1993(H5)/4/1 | 89,202 | 28,438 |
| 1994(H6)/4/1 | 90,406 | 29,114 |

巻末資料②

## 人口ピラミッドの推移（平成元年・10年・20年・31年）

4月1日現在

### 1989（平成元）年　年齢別人口分布（左：男、右：女）

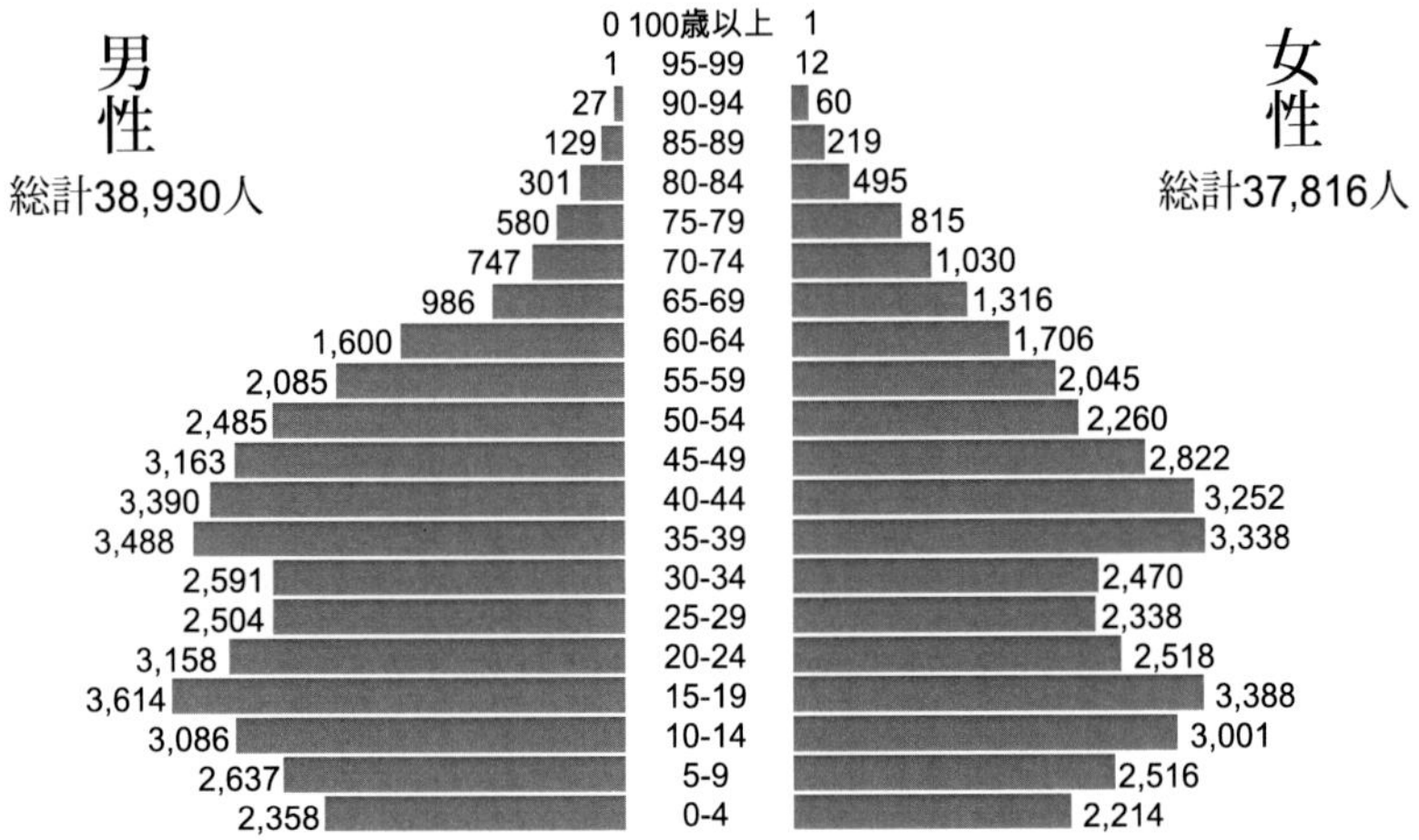


資料：住民基本台帳
（外国人を含まない）

### 1998（平成10）年　年齢別人口分布（左：男、右：女）

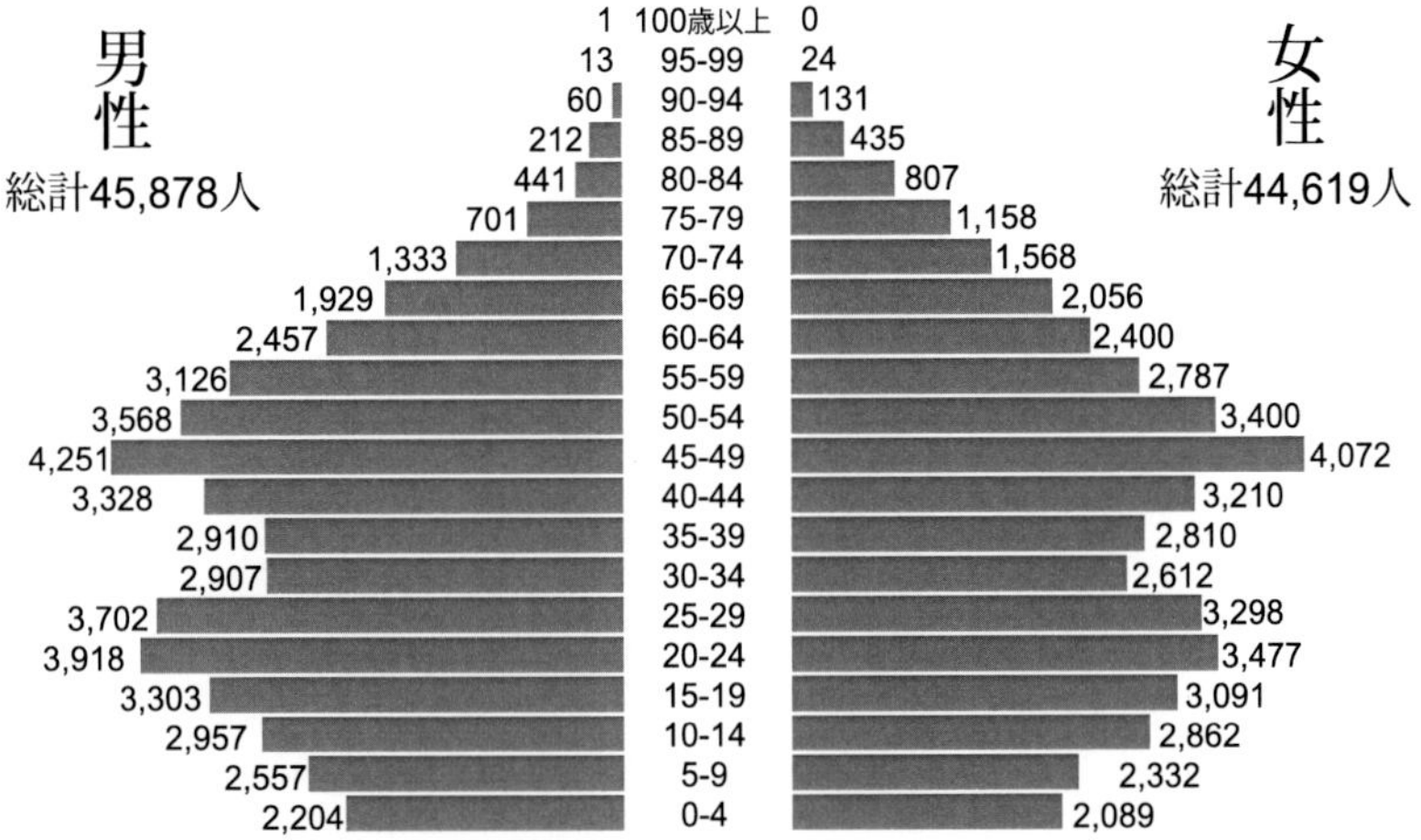


資料：住民基本台帳
（外国人を含まない）

## 2008（平成20）年　年齢別人口分布（左：男、右：女）

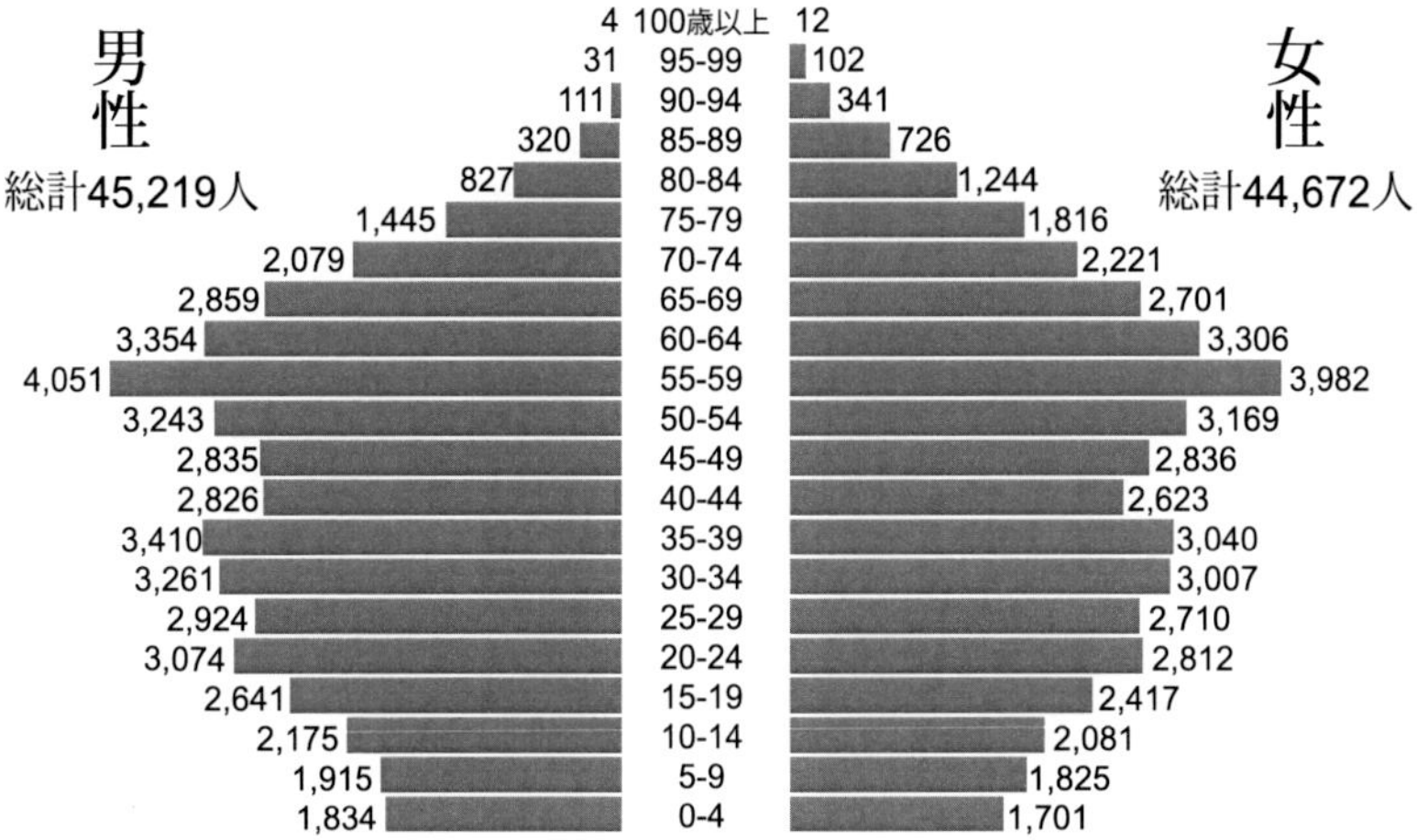


資料：住民基本台帳
（外国人を含む）

## 2019（平成31）年　年齢別人口分布（左：男、右：女）

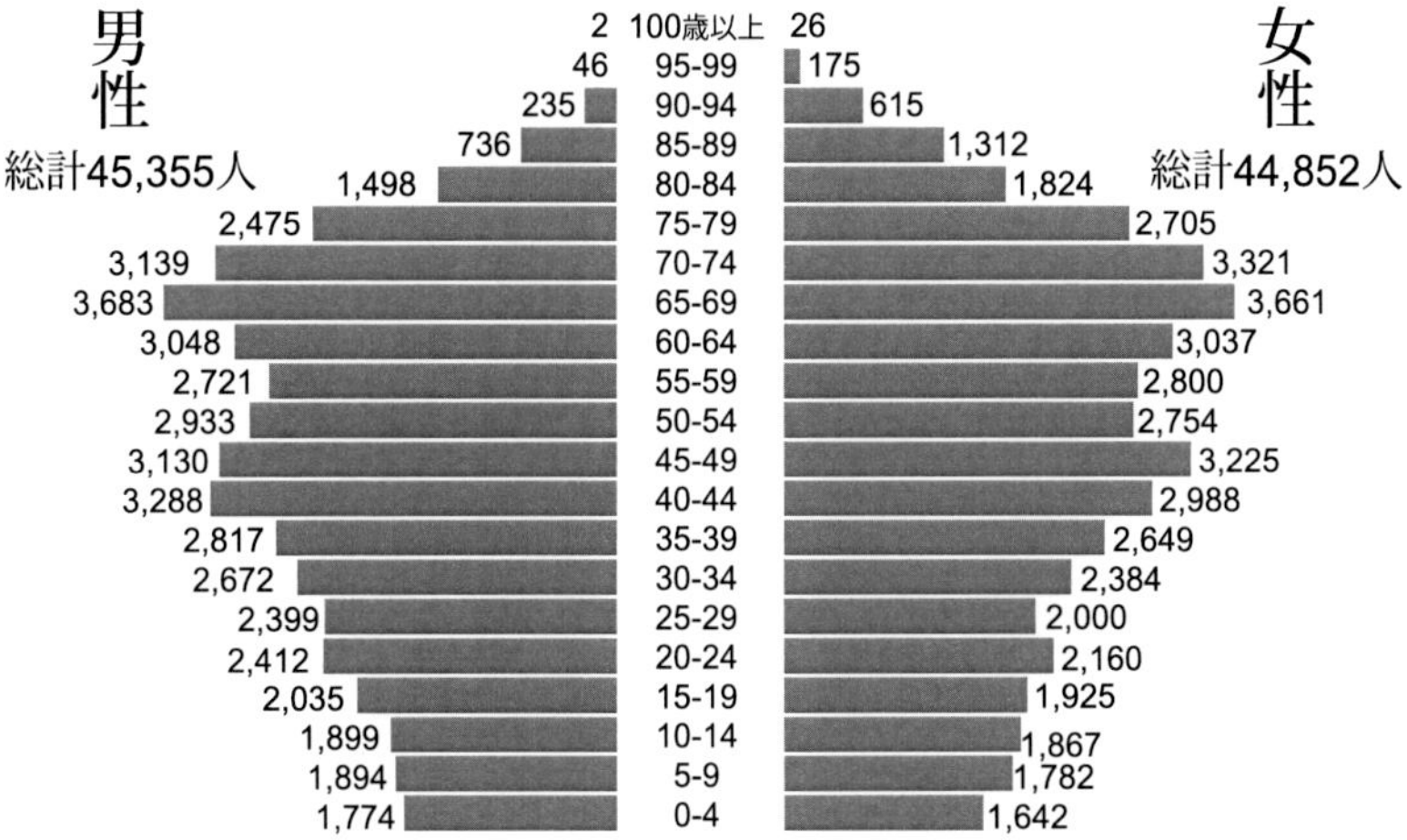


資料：住民基本台帳
（外国人を含む）

## 東松山市
## 予算総額・一般会計予算額・予算現額の推移

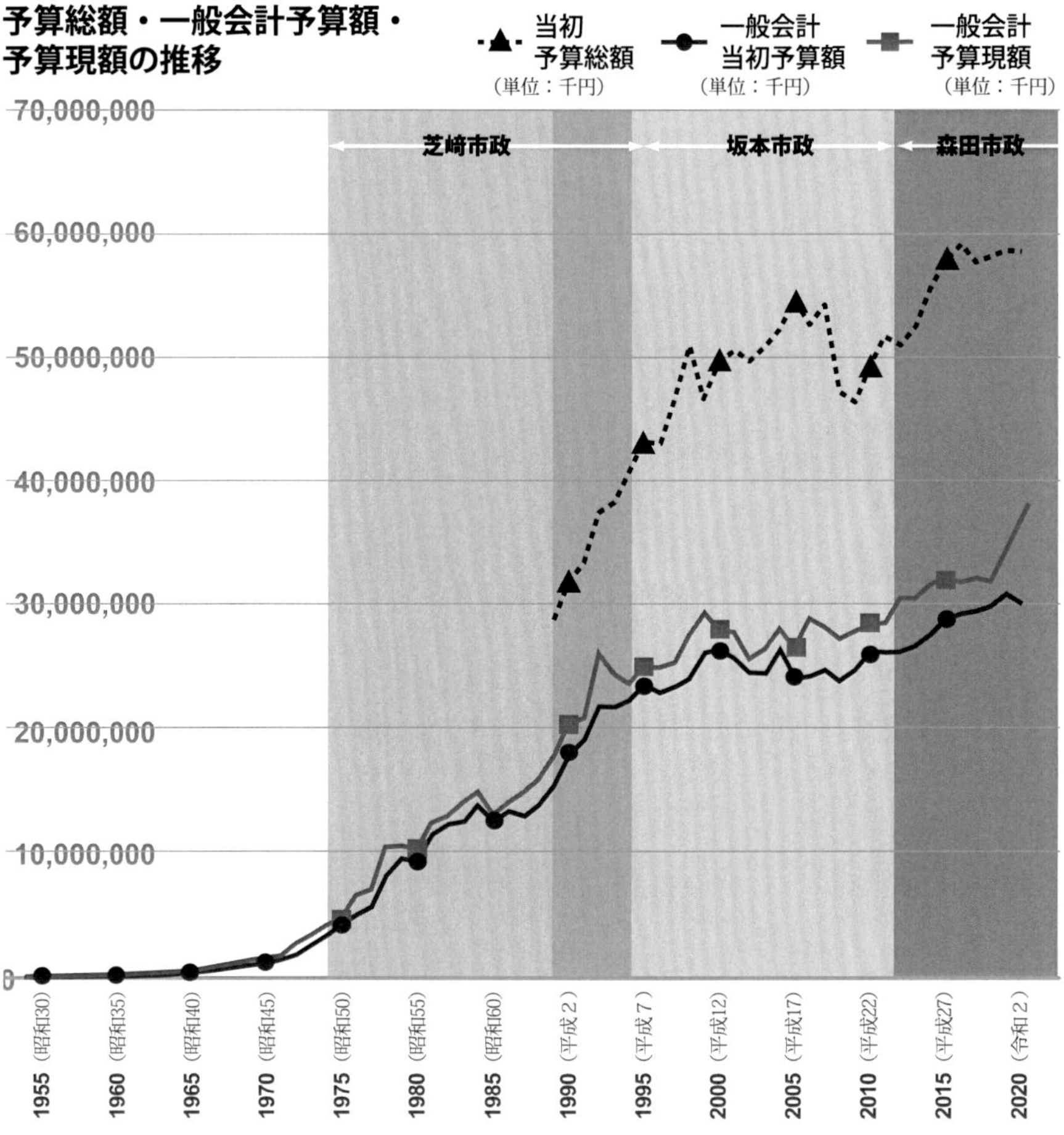

| 年 | 当初予算総額（単位：千円） | 一般会計当初予算額（単位：千円） | 一般会計予算現額（単位：千円） | 当初予算増減率（%） | 予算現額増減率（%） |
|---|---|---|---|---|---|
| 1954（昭和 29） | | 105,337 | 116,076 | | |
| 1955（昭和 30） | | 120,000 | 121,560 | 13.9 | 4.7 |
| 1960（昭和 35） | | 163,516 | 281,186 | 36.3 | 131.3 |
| 1965（昭和 40） | | 415,800 | 507,554 | 154.3 | 80.5 |
| 1970（昭和 45） | | 1,296,700 | 1,604,599 | 211.9 | 216.1 |
| 1974（昭和 49） | | 3,369,000 | 4,219,788 | 159.8 | 163.0 |
| 1975（昭和 50） | | 4,272,500 | 4,855,817 | 26.8 | 15.1 |
| 1976（昭和 51） | | 5,043,000 | 6,657,064 | 18.0 | 37.1 |
| 1977（昭和 52） | | 5,757,000 | 7,193,416 | 14.2 | 8.1 |
| 1978（昭和 53） | | 8,195,000 | 10,534,852 | 29.7 | 46.5 |
| 1979（昭和 54） | | 9,601,000 | 10,597,306 | 17.2 | 0.6 |
| 1980（昭和 55） | | 9,417,000 | 10,336,176 | -1.9 | -2.5 |
| 1981（昭和 56） | | 11,617,000 | 12,451,604 | 0.2 | 20.5 |
| 1982（昭和 57） | | 12,321,000 | 12,996,367 | 6.1 | 4.8 |
| 1983（昭和 58） | | 12,660,000 | 14,147,755 | 2.8 | 8.9 |
| 1984（昭和 59） | | 13,870,000 | 14,916,159 | 9.6 | 5.4 |
| 1985（昭和 60） | | 12,600,000 | 13,146,421 | -9.2 | -11.9 |
| 1986（昭和 61） | | 13,370,000 | 14,113,916 | 6.1 | 7.4 |
| 1987（昭和 62） | | 13,050,000 | 14,986,499 | -2.4 | 6.2 |
| 1988（昭和 63） | | 13,940,000 | 15,952,741 | 6.8 | 6.4 |
| 1989（昭和 64・平成元） | 28,858,500 | 15,430,000 | 17,910,683 | 10.7 | 12.3 |
| 1990（平成 2） | 31,919,400 | 18,060,000 | 20,430,070 | 17.0 | 14.1 |
| 1991（平成 3） | 33,549,670 | 19,200,000 | 20,914,432 | 6.3 | 2.4 |
| 1992（平成 4） | 37,511,239 | 21,800,000 | 26,127,434 | 13.5 | 24.9 |
| 1993（平成 5） | 38,329,732 | 21,850,000 | 24,421,863 | 0.2 | -6.5 |
| 1994（平成 6） | 40,821,327 | 22,400,000 | 23,742,572 | 2.5 | -2.8 |
| 1995（平成 7） | 43,159,660 | 23,600,000 | 24,984,851 | 5.4 | 5.2 |
| 1996（平成 8） | 43,123,580 | 23,000,000 | 24,988,880 | -2.5 | 0.0 |
| 1997（平成 9） | 46,512,130 | 23,450,000 | 25,455,940 | 2.0 | 1.9 |
| 1998（平成 10） | 50,978,700 | 24,140,000 | 27,649,455 | 2.9 | 8.6 |
| 1999（平成 11） | 46,779,355 | 26,060,000 | 29,360,221 | 8.0 | 6.2 |
| 2000（平成 12） | 49,783,669 | 26,430,000 | 28,002,571 | 1.4 | -4.6 |
| 2001（平成 13） | 50,549,758 | 25,755,000 | 27,827,087 | -2.6 | -0.6 |
| 2002（平成 14） | 49,817,085 | 24,700,000 | 25,655,681 | -4.1 | -7.8 |
| 2003（平成 15） | 50,884,056 | 24,610,000 | 26,502,428 | -0.4 | 3.3 |
| 2004（平成 16） | 52,268,774 | 26,380,000 | 28,079,974 | 7.2 | 6.0 |
| 2005（平成 17） | 54,691,642 | 24,150,000 | 26,608,982 | -8.5 | -5.2 |
| 2006（平成 18） | 52,653,864 | 24,320,000 | 28,860,259 | 0.7 | 8.5 |
| 2007（平成 19） | 54,198,522 | 24,840,000 | 28,285,238 | 2.1 | 2.0 |
| 2008（平成 20） | 47,255,011 | 23,930,000 | 27,293,084 | -3.7 | -3.5 |
| 2009（平成 21） | 46,517,736 | 24,830,000 | 27,872,938 | 3.8 | 2.1 |
| 2010（平成 22） | 49,415,485 | 26,220,000 | 28,452,438 | 5.6 | 2.1 |
| 2011（平成 23） | 51,642,644 | 26,270,000 | 28,601,255 | 0.2 | 0.5 |
| 2012（平成 24） | 51,093,651 | 26,320,000 | 30,531,474 | 0.2 | 6.7 |
| 2013（平成 25） | 52,592,742 | 26,750,000 | 30,610,444 | 1.6 | 0.3 |
| 2014（平成 26） | 55,630,973 | 27,670,000 | 31,706,307 | 3.4 | 4.2 |
| 2015（平成 27） | 57,741,978 | 28,850,000 | 32,232,703 | 4.3 | 1.7 |
| 2016（平成 28） | 59,152,712 | 29,370,000 | 31,903,514 | 1.8 | -1.0 |
| 2017（平成 29） | 57,729,777 | 29,600,000 | 32,174,290 | 0.8 | 0.8 |
| 2018（平成 30） | 58,149,389 | 29,990,000 | 31,990,471 | 1.3 | -0.6 |
| 2019（平成 31・令和元） | 58,617,425 | 30,870,000 | 36,878,434 | 2.9 | 15.3 |
| 2020（令和 2） | 58,554,008 | 30,160,000 | | -2.3 | |

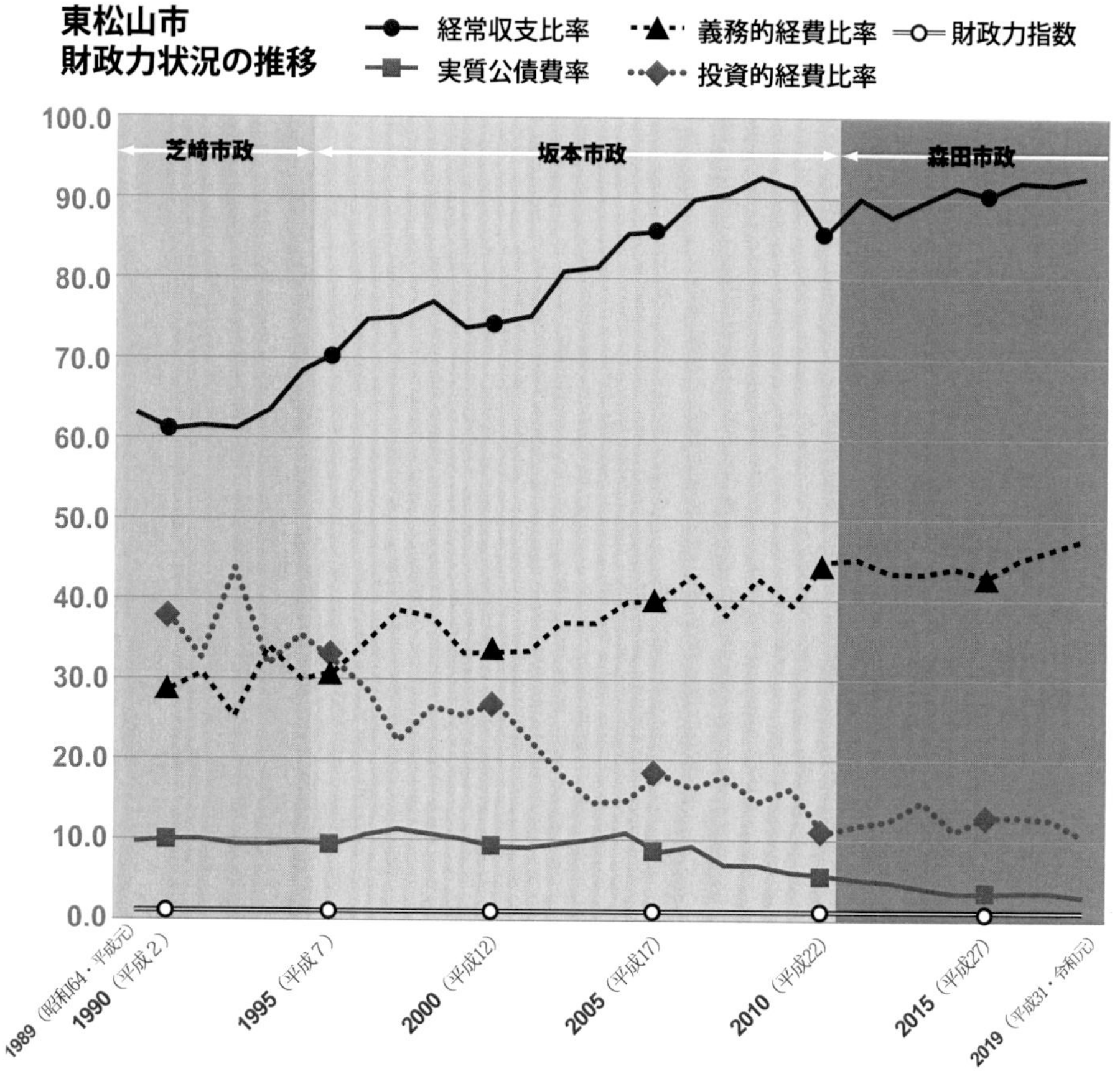
東松山市
財政力状況の推移
経常収支比率
実質公債費率
義務的経費比率
投資的経費比率
財政力指数
芝崎市政
坂本市政
森田市政
100.0
90.0
80.0
70.0
60.0
50.0
40.0
30.0
20.0
10.0
0.0
1989（昭和64・平成元）
1990（平成2）
1995（平成7）
2000（平成12）
2005（平成17）
2010（平成22）
2015（平成27）
2019（平成31・令和元）

| 年 | 経常<br>収支比率 | 実質<br>公債費率 | 義務的<br>経費比率 | 投資的<br>経費比率 | 財政力<br>指数 |
|---|---|---|---|---|---|
| 1989(昭和64・平成元) | 63.2 | 9.7 | | | 0.930 |
| 1990(平成2) | 61.3 | 10.0 | 28.7 | 38.0 | 0.915 |
| 1991(平成3) | 61.7 | 10.1 | 30.6 | 32.7 | 0.887 |
| 1992(平成4) | 61.4 | 9.5 | 25.3 | 43.8 | 0.858 |
| 1993(平成5) | 63.6 | 9.3 | 34.0 | 31.8 | 0.853 |
| 1994(平成6) | 68.5 | 9.5 | 29.9 | 35.5 | 0.854 |
| 1995(平成7) | 70.7 | 9.4 | 30.9 | 32.2 | 0.853 |
| 1996(平成8) | 74.9 | 10.5 | 34.6 | 28.7 | 0.854 |
| 1997(平成9) | 75.3 | 11.2 | 38.5 | 22.6 | 0.838 |
| 1998(平成10) | 77.2 | 10.7 | 37.9 | 26.5 | 0.821 |
| 1999(平成11) | 74.0 | 10.0 | 33.5 | 25.5 | 0.779 |
| 2000(平成12) | 74.6 | 9.2 | 33.5 | 27.1 | 0.755 |
| 2001(平成13) | 75.6 | 8.9 | 33.6 | 22.9 | 0.749 |
| 2002(平成14) | 81.0 | 9.6 | 36.9 | 18.1 | 0.771 |
| 2003(平成15) | 81.6 | 10.0 | 37.1 | 14.7 | 0.799 |
| 2004(平成16) | 85.7 | 10.8 | 39.7 | 15.0 | 0.830 |
| 2005(平成17) | 86.0 | 8.5 | 39.7 | 18.3 | 0.863 |
| 2006(平成18) | 90.1 | 9.0 | 43.1 | 16.5 | 0.907 |
| 2007(平成19) | 90.9 | 7.0 | 38.0 | 17.9 | 0.945 |
| 2008(平成20) | 92.7 | 6.8 | 42.7 | 14.8 | 0.956 |
| 2009(平成21) | 91.5 | 6.1 | 39.4 | 16.2 | 0.933 |
| 2010(平成22) | 85.9 | 5.6 | 44.8 | 10.9 | 0.883 |
| 2011(平成23) | 90.2 | 5.1 | 45.2 | 11.8 | 0.856 |
| 2012(平成24) | 87.9 | 4.7 | 43.5 | 12.4 | 0.844 |
| 2013(平成25) | 89.8 | 3.9 | 43.3 | 14.8 | 0.853 |
| 2014(平成26) | 91.6 | 3.4 | 43.9 | 11.3 | 0.855 |
| 2015(平成27) | 90.6 | 3.5 | 43.0 | 12.9 | 0.857 |
| 2016(平成28) | 92.2 | 3.6 | 45.1 | 12.9 | 0.857 |
| 2017(平成29) | 92.0 | 3.5 | 46.5 | 12.6 | 0.862 |
| 2018(平成30) | 92.8 | 3.1 | 47.6 | 10.4 | 0.872 |
| 2019(平成31・令和元) | 96.4 | 3.0 | 47.1 | 10.7 | 0.879 |

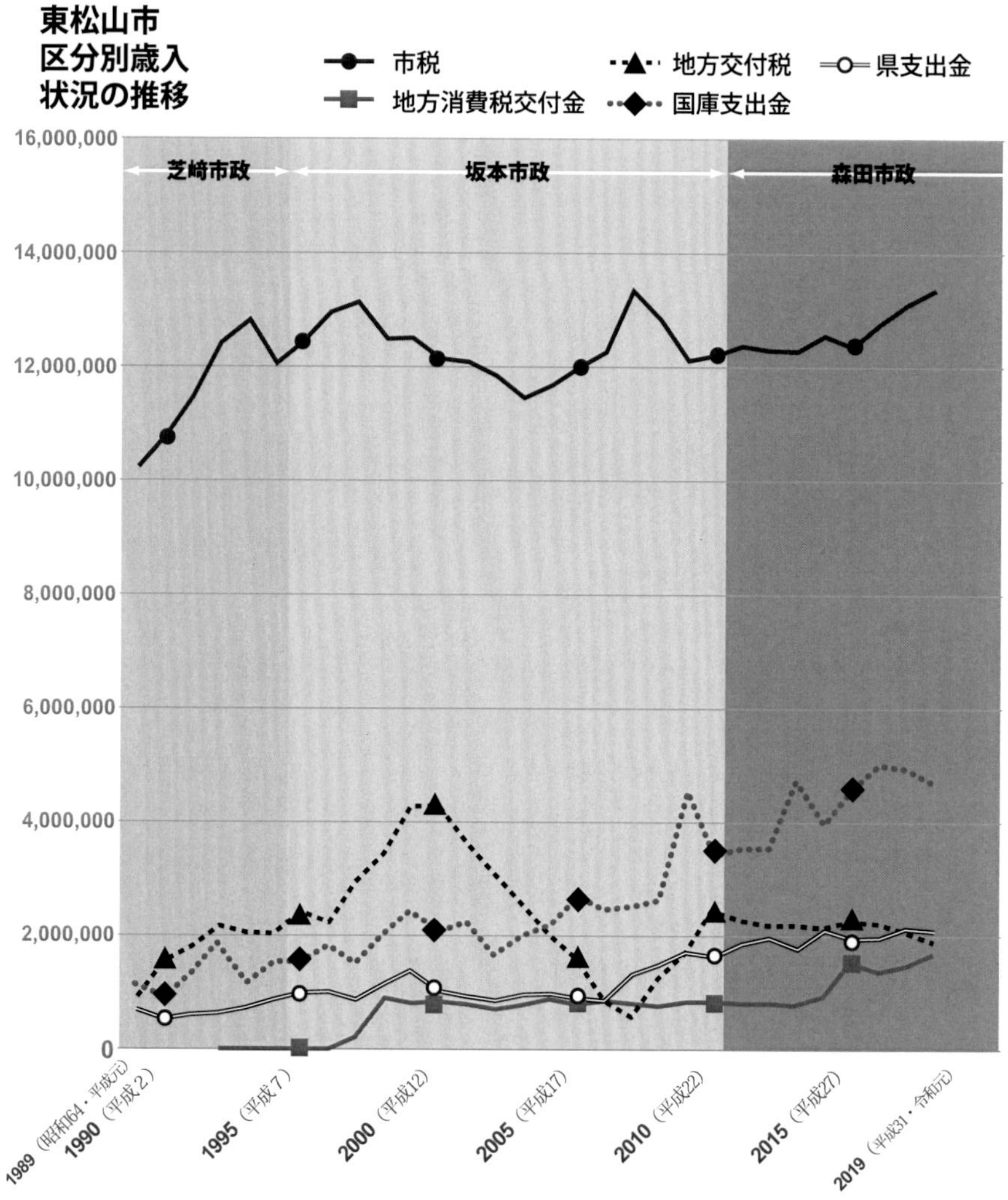
東松山市
区分別歳入
状況の推移
市税
地方交付税
県支出金
地方消費税交付金
国庫支出金
16,000,000
14,000,000
12,000,000
10,000,000
8,000,000
6,000,000
4,000,000
2,000,000
0
芝崎市政
坂本市政
森田市政
1989（昭和64・平成元）
1990（平成２）
1995（平成７）
2000（平成12）
2005（平成17）
2010（平成22）
2015（平成27）
2019（平成31・令和元）

〔単位：千円〕

| 年 | 市税 | 構成比（%） | 地方消費税交付金 | 構成比（%） | 地方交付税 | 構成比（%） | 国庫支出金 | 構成比（%） | 県支出金 | 構成比（%） |
|---|---|---|---|---|---|---|---|---|---|---|
| 1989（昭和64・平成元） | 10,278,813 | 57.0 | | | 910,781 | 5.1 | 1,134,872 | 6.3 | 692,707 | 3.8 |
| 1990（平成2） | 10,765,963 | 52.3 | | | 1,515,060 | 7.4 | 933,875 | 4.5 | 524,666 | 2.5 |
| 1991（平成3） | 11,453,463 | 54.4 | | | 1,818,610 | 8.6 | 1,304,229 | 6.2 | 592,628 | 2.8 |
| 1992（平成4） | 12,436,981 | 47.4 | 0 | 0.0 | 2,169,505 | 8.3 | 1,839,499 | 7.0 | 634,001 | 2.4 |
| 1993（平成5） | 12,810,539 | 52.5 | 2,757 | 0.0 | 2,048,294 | 8.4 | 1,174,719 | 4.8 | 726,402 | 3.0 |
| 1994（平成6） | 12,055,218 | 50.5 | 2,509 | 0.0 | 2,036,658 | 8.5 | 1,523,391 | 6.4 | 855,667 | 3.6 |
| 1995（平成7） | 12,422,783 | 49.2 | 3,371 | 0.0 | 2,406,813 | 9.5 | 1,538,075 | 6.1 | 973,420 | 3.9 |
| 1996（平成8） | 12,945,026 | 51.2 | 4,372 | 0.0 | 2,228,640 | 8.8 | 1,829,662 | 7.2 | 985,052 | 3.9 |
| 1997（平成9） | 13,139,943 | 51.6 | 195,794 | 0.8 | 2,932,340 | 11.5 | 1,498,098 | 5.9 | 889,362 | 3.5 |
| 1998（平成10） | 12,507,328 | 46.1 | 850,824 | 3.1 | 3,437,463 | 12.7 | 1,982,203 | 7.3 | 1,118,283 | 4.1 |
| 1999（平成11） | 12,523,044 | 42.9 | 798,218 | 2.7 | 4,278,252 | 14.7 | 2,426,490 | 8.3 | 1,342,244 | 4.6 |
| 2000（平成12） | 12,159,874 | 43.4 | 823,177 | 2.9 | 4,261,317 | 15.2 | 2,054,380 | 7.3 | 1,002,024 | 3.6 |
| 2001（平成13） | 12,088,193 | 43.3 | 783,066 | 2.8 | 3,653,127 | 13.1 | 2,247,239 | 8.1 | 904,760 | 3.2 |
| 2002（平成14） | 11,857,517 | 46.0 | 685,417 | 2.7 | 3,104,696 | 12.0 | 1,676,412 | 6.5 | 862,917 | 3.3 |
| 2003（平成15） | 11,486,439 | 42.8 | 774,906 | 2.9 | 2,534,226 | 9.4 | 1,986,935 | 7.4 | 948,193 | 3.5 |
| 2004（平成16） | 11,684,624 | 44.4 | 864,814 | 3.3 | 2,027,503 | 7.7 | 2,166,983 | 8.2 | 935,496 | 3.6 |
| 2005（平成17） | 12,014,673 | 44.6 | 804,709 | 3.0 | 1,619,883 | 6.0 | 2,706,687 | 10.0 | 885,163 | 3.3 |
| 2006（平成18） | 12,277,246 | 45.4 | 847,930 | 3.1 | 889,891 | 3.3 | 2,466,175 | 9.1 | 881,326 | 3.3 |
| 2007（平成19） | 13,335,497 | 47.0 | 827,271 | 2.9 | 595,322 | 2.1 | 2,531,066 | 8.9 | 1,303,751 | 4.6 |
| 2008（平成20） | 12,831,108 | 49.8 | 776,432 | 3.0 | 1,219,982 | 4.7 | 2,649,466 | 10.3 | 1,455,364 | 5.6 |
| 2009（平成21） | 12,133,487 | 43.2 | 828,441 | 3.0 | 1,715,506 | 6.1 | 4,546,735 | 16.2 | 1,688,640 | 6.0 |
| 2010（平成22） | 12,213,730 | 44.0 | 827,020 | 3.0 | 2,461,280 | 8.9 | 3,420,558 | 12.3 | 1,625,002 | 5.8 |
| 2011（平成23） | 12,378,467 | 43.9 | 797,631 | 2.8 | 2,271,673 | 8.1 | 3,537,101 | 12.5 | 1,839,251 | 6.5 |
| 2012（平成24） | 12,323,731 | 42.5 | 785,791 | 2.7 | 2,184,285 | 7.5 | 3,538,688 | 12.2 | 1,946,119 | 6.7 |
| 2013（平成25） | 12,308,473 | 41.3 | 779,094 | 2.6 | 2,203,456 | 7.4 | 4,691,337 | 15.8 | 1,745,880 | 5.9 |
| 2014（平成26） | 12,528,784 | 40.2 | 934,796 | 3.0 | 2,131,966 | 6.8 | 3,977,476 | 12.8 | 2,085,818 | 6.7 |
| 2015（平成27） | 12,383,214 | 38.9 | 1,522,810 | 4.8 | 2,238,361 | 7.0 | 4,511,147 | 14.2 | 1,937,956 | 6.1 |
| 2016（平成28） | 12,770,837 | 40.3 | 1,390,861 | 4.4 | 2,213,787 | 7.0 | 5,010,234 | 15.8 | 1,936,098 | 6.1 |
| 2017（平成29） | 13,117,575 | 41.7 | 1,484,539 | 4.7 | 2,072,394 | 6.6 | 4,952,199 | 15.7 | 2,085,913 | 6.6 |
| 2018（平成30） | 13,358,936 | 43.2 | 1,667,553 | 5.4 | 1,887,349 | 6.1 | 4,673,168 | 15.1 | 2,057,477 | 6.6 |
| 2019（平成31・令和元） | 13,488,359 | 40.6 | 1,605,237 | 4.8 | 2,119,642 | 6.4 | 5,361,869 | 16.1 | 2,334,484 | 7.0 |

## 巻末資料⑥

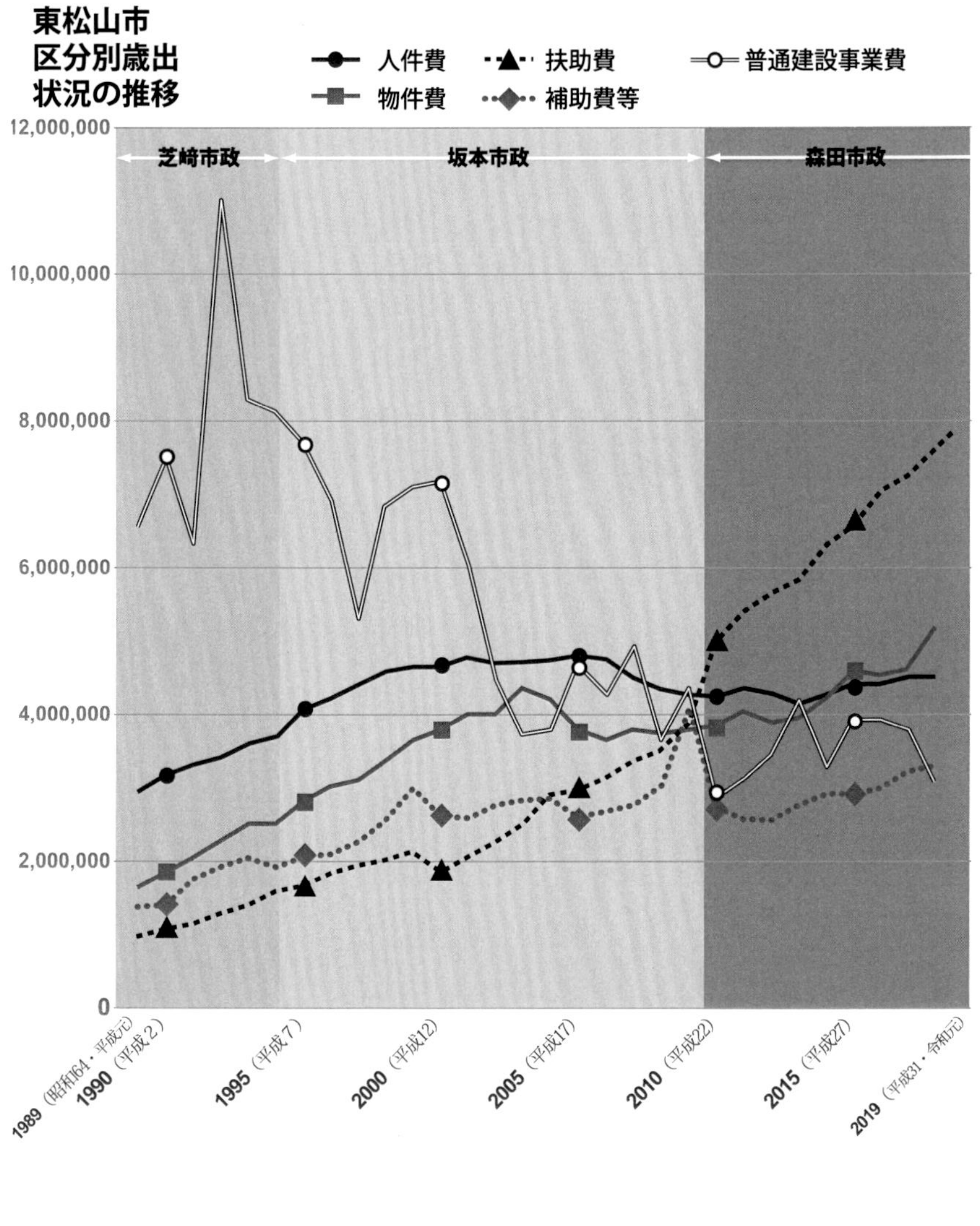

東松山市
区分別歳出
状況の推移
人件費
扶助費
普通建設事業費
物件費
補助費等
12,000,000
10,000,000
8,000,000
6,000,000
4,000,000
2,000,000
0
芝崎市政
坂本市政
森田市政
1989（昭和64・平成元）
1990（平成2）
1995（平成7）
2000（平成12）
2005（平成17）
2010（平成22）
2015（平成27）
2019（平成31・令和元）

〔単位：千円〕

| 年 | 人件費 | 構成比(%) | 物件費 | 構成比(%) | 扶助費 | 構成比(%) | 補助費等 | 構成比(%) | 普通建設事業費 | 構成比(%) |
|---|---|---|---|---|---|---|---|---|---|---|
| 1989（昭和64・平成元） | 2,937,836 | 17.1 | 1,630,242 | 9.5 | 972,673 | 5.6 | 1,359,156 | 7.9 | 6,552,198 | 38.1 |
| 1990（平成2） | 3,171,093 | 16.2 | 1,821,432 | 9.3 | 1,070,172 | 5.4 | 1,388,692 | 7.1 | 7,443,479 | 38.0 |
| 1991（平成3） | 3,284,992 | 17.0 | 2,051,175 | 10.6 | 1,142,001 | 5.9 | 1,722,050 | 8.9 | 6,323,505 | 32.6 |
| 1992（平成4） | 3,403,722 | 13.6 | 2,274,527 | 9.1 | 1,254,863 | 5.0 | 1,906,792 | 7.6 | 10,992,604 | 43.8 |
| 1993（平成5） | 3,574,695 | 15.6 | 2,490,903 | 10.9 | 1,374,550 | 6.0 | 2,038,017 | 8.9 | 8,279,315 | 36.1 |
| 1994（平成6） | 3,680,457 | 16.1 | 2,512,841 | 11.0 | 1,560,243 | 6.8 | 1,899,092 | 8.3 | 8,118,141 | 35.5 |
| 1995（平成7） | 4,059,706 | 17.0 | 2,821,317 | 11.8 | 1,667,147 | 7.0 | 2,068,668 | 8.7 | 7,708,125 | 32.2 |
| 1996（平成8） | 4,223,959 | 17.6 | 3,004,646 | 12.5 | 1,826,307 | 7.6 | 2,079,430 | 8.7 | 6,882,025 | 28.7 |
| 1997（平成9） | 4,416,476 | 19.0 | 3,112,600 | 13.4 | 1,935,388 | 8.3 | 2,262,918 | 9.7 | 5,270,550 | 22.6 |
| 1998（平成10） | 4,552,318 | 17.7 | 3,376,117 | 13.1 | 2,033,701 | 7.9 | 2,530,447 | 9.9 | 6,814,320 | 26.5 |
| 1999（平成11） | 4,630,124 | 16.7 | 3,642,664 | 13.1 | 2,112,231 | 7.6 | 2,977,361 | 10.7 | 7,061,495 | 25.5 |
| 2000（平成12） | 4,640,511 | 17.5 | 3,788,251 | 14.3 | 1,866,011 | 7.1 | 2,583,049 | 9.8 | 7,159,443 | 27.1 |
| 2001（平成13） | 4,770,355 | 18.1 | 4,001,761 | 15.2 | 2,050,518 | 7.8 | 2,575,488 | 9.8 | 6,032,747 | 22.9 |
| 2002（平成14） | 4,674,971 | 19.0 | 4,000,387 | 16.3 | 2,234,221 | 9.1 | 2,761,391 | 11.2 | 4,456,682 | 18.1 |
| 2003（平成15） | 4,683,476 | 18.4 | 4,352,905 | 17.1 | 2,497,392 | 9.8 | 2,807,351 | 11.1 | 3,735,263 | 14.7 |
| 2004（平成16） | 4,739,294 | 18.9 | 4,212,506 | 16.8 | 2,854,741 | 11.4 | 2,853,704 | 11.4 | 3,757,968 | 15.0 |
| 2005（平成17） | 4,758,571 | 18.7 | 3,788,456 | 14.9 | 2,936,690 | 11.5 | 2,585,541 | 10.1 | 4,651,557 | 18.3 |
| 2006（平成18） | 4,722,316 | 18.4 | 3,642,069 | 14.2 | 3,134,471 | 12.2 | 2,657,268 | 10.3 | 4,256,179 | 16.5 |
| 2007（平成19） | 4,458,856 | 16.3 | 3,772,124 | 13.8 | 3,339,907 | 12.2 | 2,771,674 | 10.2 | 4,902,135 | 17.9 |
| 2008（平成20） | 4,342,491 | 17.6 | 3,724,012 | 15.1 | 3,498,745 | 14.2 | 3,012,399 | 12.2 | 3,652,767 | 14.8 |
| 2009（平成21） | 4,274,519 | 15.9 | 3,740,456 | 13.9 | 3,873,593 | 14.4 | 4,070,125 | 15.2 | 4,349,211 | 16.2 |
| 2010（平成22） | 4,254,406 | 16.3 | 3,830,911 | 14.7 | 4,992,487 | 19.2 | 2,712,589 | 10.4 | 2,845,997 | 10.9 |
| 2011（平成23） | 4,320,710 | 16.3 | 4,030,500 | 15.2 | 5,403,015 | 20.4 | 2,557,841 | 9.6 | 3,117,810 | 11.7 |
| 2012（平成24） | 4,261,509 | 15.5 | 3,886,797 | 14.1 | 5,634,053 | 20.4 | 2,542,270 | 9.2 | 3,419,243 | 12.4 |
| 2013（平成25） | 4,140,368 | 14.9 | 3,938,254 | 14.2 | 5,799,920 | 20.8 | 2,724,845 | 9.8 | 4,129,519 | 14.8 |
| 2014（平成26） | 4,259,669 | 14.6 | 4,215,009 | 14.4 | 6,307,235 | 21.6 | 2,891,973 | 9.9 | 3,294,535 | 11.3 |
| 2015（平成27） | 4,372,409 | 14.4 | 4,562,911 | 15.0 | 6,578,894 | 21.7 | 2,910,572 | 9.6 | 3,903,133 | 12.9 |
| 2016（平成28） | 4,407,236 | 14.5 | 4,497,378 | 14.8 | 7,041,518 | 23.2 | 2,970,929 | 9.8 | 3,900,833 | 12.9 |
| 2017（平成29） | 4,483,820 | 14.9 | 4,552,400 | 15.1 | 7,240,906 | 24.1 | 3,193,539 | 10.6 | 3,783,624 | 12.6 |
| 2018（平成30） | 4,502,013 | 15.2 | 4,542,547 | 15.4 | 7,270,666 | 24.6 | 3,286,208 | 11.1 | 3,074,619 | 10.4 |
| 2019（平成31・令和元） | 4,578,995 | 14.3 | 5,152,997 | 16.1 | 8,077,978 | 25.3 | 3,738,191 | 11.7 | 3,270,090 | 10.2 |

# 市議会議員・市長選挙投票率の推移

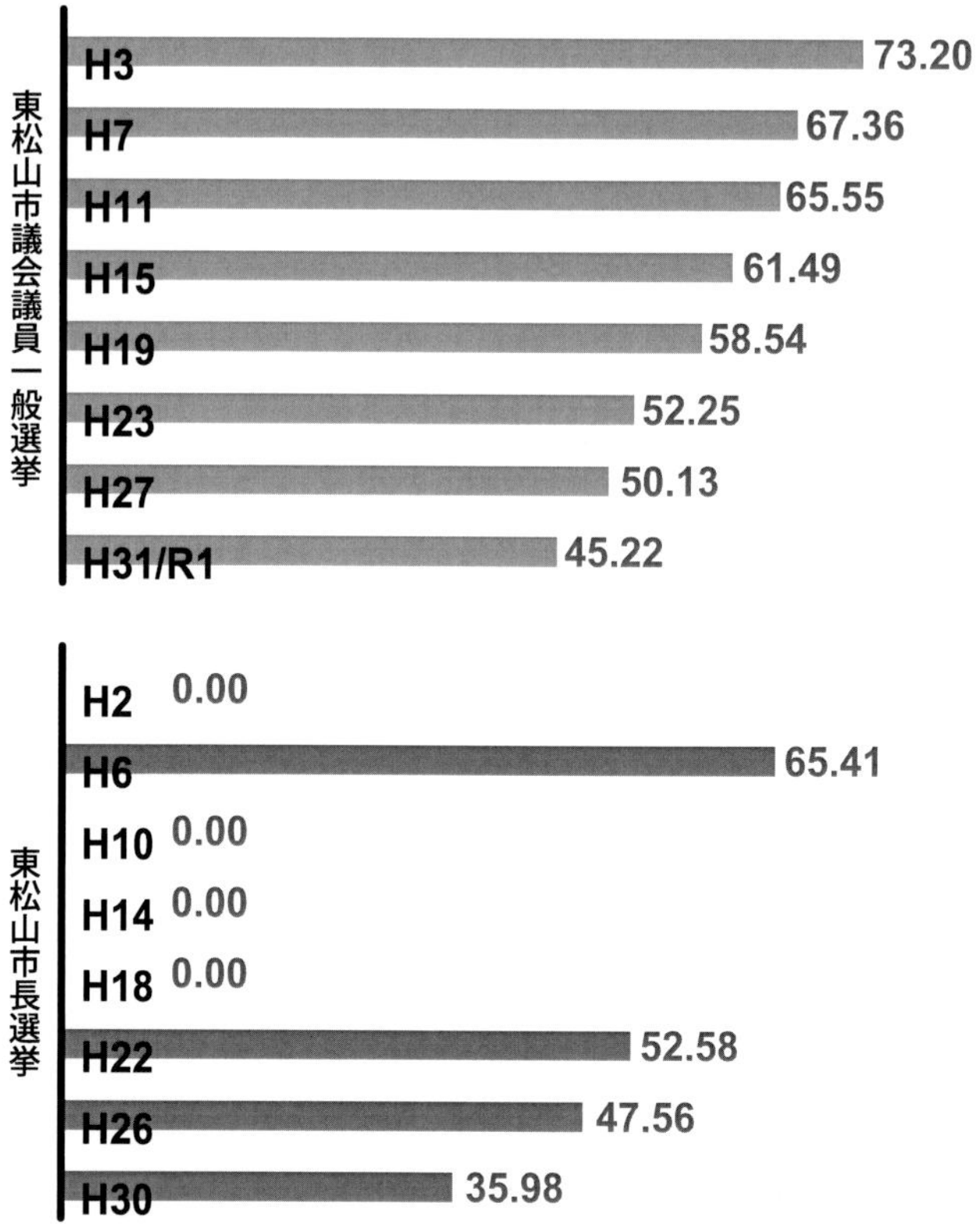


〔単位：%〕

| | H1 | H2 | H3 | H4 | H5 | H6 | H7 | H8 | H9 | H10 |
|---|---|---|---|---|---|---|---|---|---|---|
| 東松山市議会議員一般選挙 | | | 73.20 | | | | 67.36 | | | |
| 東松山市長選　挙 | | — | | | | 65.41 | | | | — |

| | H11 | H12 | H13 | H14 | H15 | H16 | H17 | H18 | H19 | H20 | H21 |
|---|---|---|---|---|---|---|---|---|---|---|---|
| 市議会選挙 | 65.55 | | | | 61.49 | | | | 58.54 | | |
| 市　長選挙 | | | | — | | | | — | | | |

| | H22 | H23 | H24 | H25 | H26 | H27 | H28 | H29 | H30 | H31／R1 |
|---|---|---|---|---|---|---|---|---|---|---|
| 市議会選挙 | | 52.25 | | | | 50.13 | | | | 45.22 |
| 市　長選挙 | 52.58 | | | | 47.56 | | | | 35.98 | |

# 県議会議員・県知事選挙投票率の推移

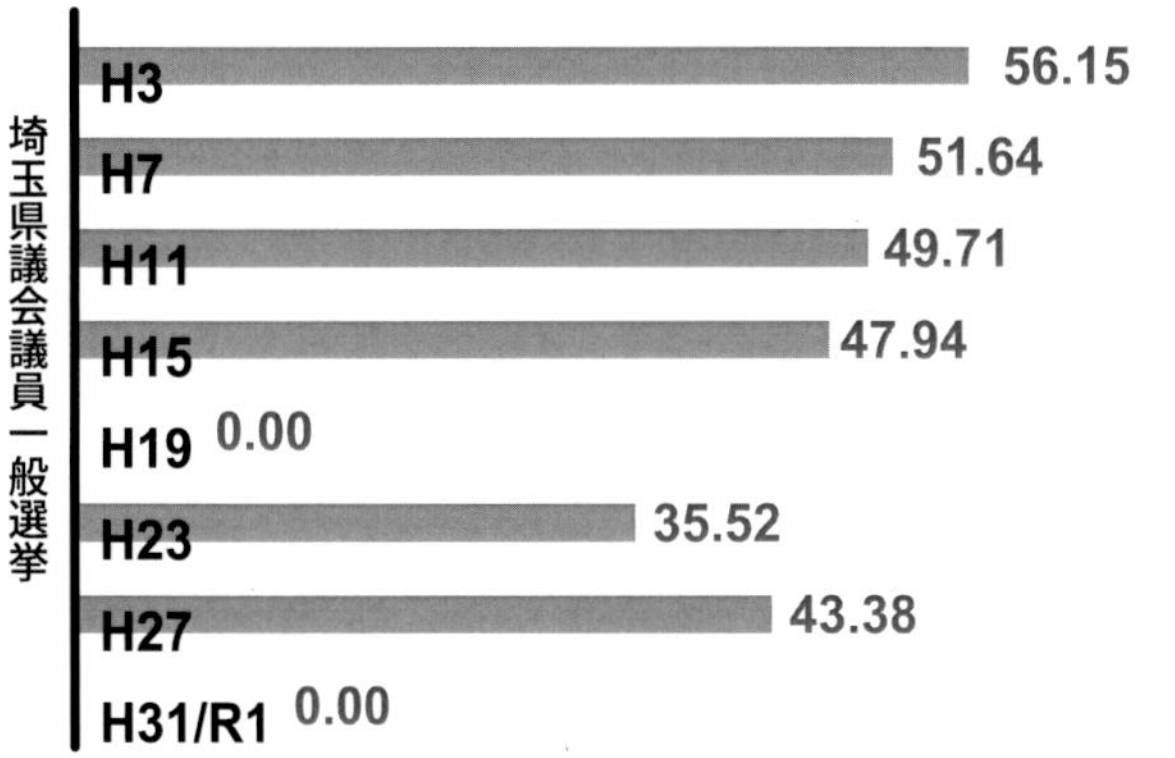


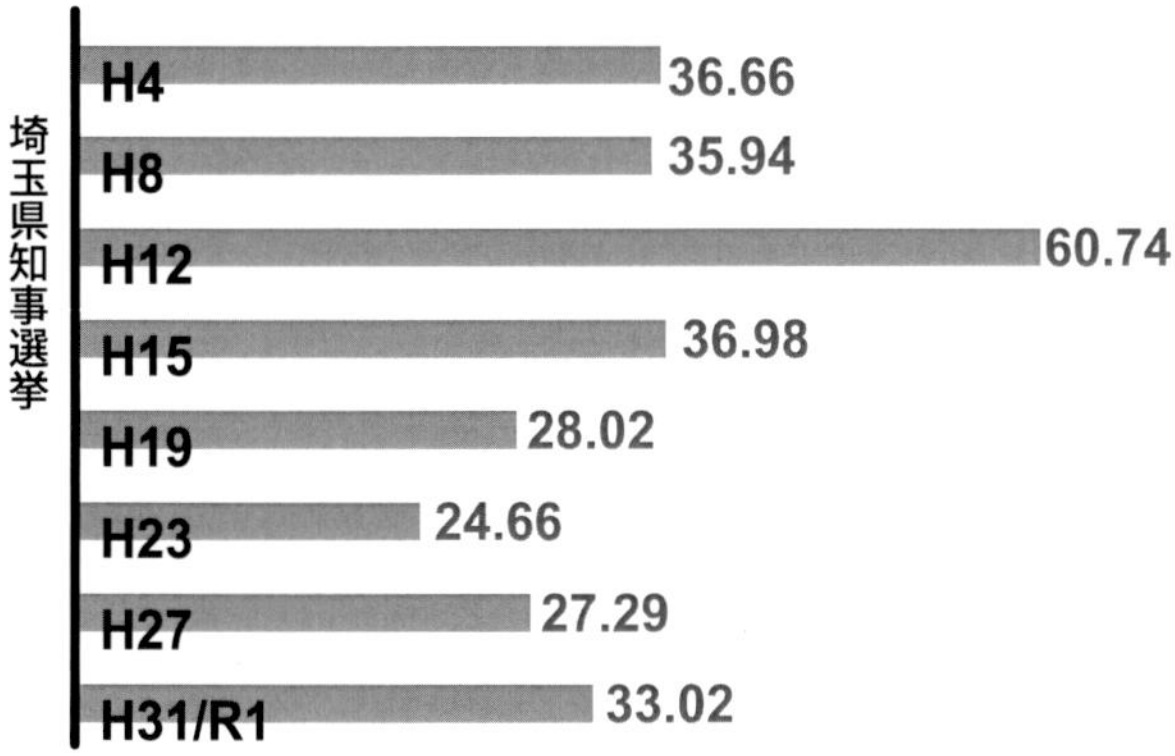


〔単位：%〕

| | H1 | H2 | H3 | H4 | H5 | H6 | H7 | H8 | H9 | H10 |
|---|---|---|---|---|---|---|---|---|---|---|
| 埼玉県議会議員一般選挙 | | | 56.15 | | | | 51.64 | | | |
| 埼玉県知事選　挙 | | | | 36.66 | | | | 35.94 | | |

| | H11 | H12 | H13 | H14 | H15 | H16 | H17 | H18 | H19 | H20 | H21 |
|---|---|---|---|---|---|---|---|---|---|---|---|
| 県議会選挙 | 49.71 | | | | 47.94 | | | | — | | |
| 知　事選挙 | | 60.74 | | | 36.98 | | | | 28.02 | | |

| | H22 | H23 | H24 | H25 | H26 | H27 | H28 | H29 | H30 | H31／R1 |
|---|---|---|---|---|---|---|---|---|---|---|
| 県議会選挙 | | 35.2 | | | | 43.38 | | | | — |
| 知　事選挙 | | 24.66 | | | | 27.29 | | | | 33.02 |

# 衆議院議員・参議院議員選挙投票率の推移

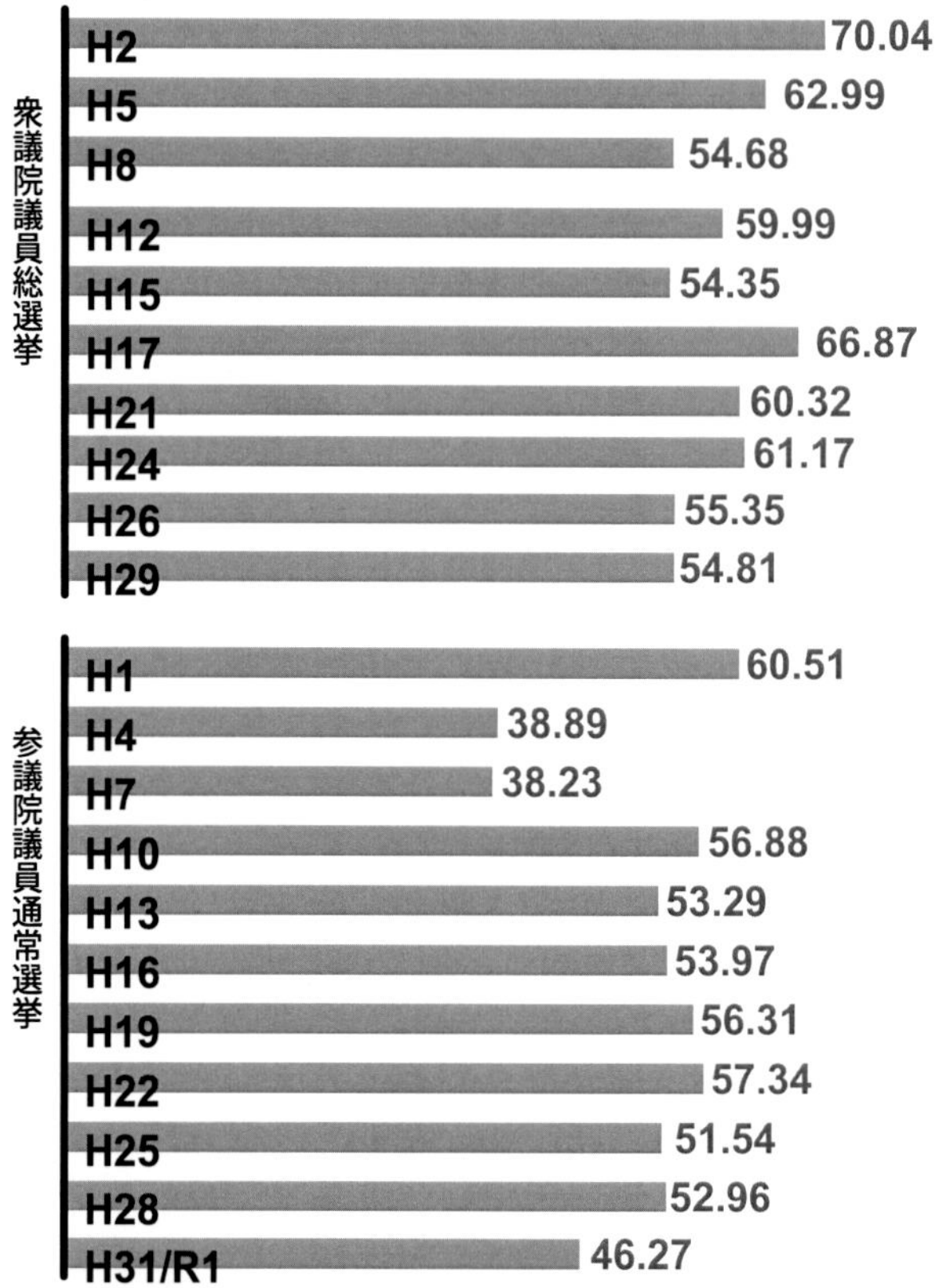


〔単位：%〕

| | H1 | H2 | H3 | H4 | H5 | H6 | H7 | H8 | H9 | H10 |
|---|---|---|---|---|---|---|---|---|---|---|
| 衆議院議員総選挙 | | 70.04 | | | 62.99 | | | 54.68 | | |
| 参議院議員通常選挙 | 60.51 | | | 38.89 | | | 38.23 | | | 56.88 |

| | H11 | H12 | H13 | H14 | H15 | H16 | H17 | H18 | H19 | H20 | H21 |
|---|---|---|---|---|---|---|---|---|---|---|---|
| 衆議院議員総選挙 | | 59.99 | | | 54.35 | | 66.87 | | | | 60.32 |
| 参議院議員通常選挙 | | | 53.29 | | | 53.97 | | | 56.31 | | |

| | H22 | H23 | H24 | H25 | H26 | H27 | H28 | H29 | H30 | H31／R1 |
|---|---|---|---|---|---|---|---|---|---|---|
| 衆議院議員総選挙 | | | 61.17 | | 55.35 | | | 54.81 | | |
| 参議院議員通常選挙 | 57.34 | | | 51.54 | | | 52.96 | | | 46.27 |

資料解説

◇【巻末資料①】人口・世帯数

市制施行時、三万六，九六三人だった人口は、緩やかな増加を続け、平成元年には、七万六，九七八人と倍増しました。芝﨑市政になってからは、高坂ニュータウンの造成等により、その速度を速めました。平成五年六月、市制施行から三十九年目には九万人に達しました。

その後は、暫く横ばい状態が続き、一時期九万人を割り込みましたが、平成末期になって再度九万人を超えました。

世帯数は、人口の停滞とは別に、少しずつ増加し続けています。これは、家族の少人数化が進んでいることを表しています。

今後は、徐々に人口が減少していくことが見込まれています。

◇【巻末資料②】人口ピラミッド

平成五年六月、市制施行から三十九年目に九万人に達した人口は、横ばい状態が続いていますが、年々高齢化は進んでいます。

平成元年、男女ともに「団塊の世代」と呼ばれる三十歳代後半の人口が多い状況でしたが、九年後の平成十年には四十歳代後半、その十年後の平成二十年には五十歳代後半と人口分布における最大値がそのまま上昇しています。

平成三十一年では、六十歳代後半の人口が男女ともに最大値を占めるという状況となっています。

人口が横ばい状態のまま、年齢構成が年々上昇している状況を呈しています。

## ◇【巻末資料③】予算

平成の三十年余りの間で、総予算額は約二八八億円から約五八六億円に倍増しました。

特に、平成初期の頃までは顕著な増加を続けました。

平成中期になると、右肩上がりの神話が崩れ、前年度を下回る予算編成を強いられるようになりました。

一般会計予算は、坂本市政の十六年間には二三〇億円代から二六〇億円代とほぼ横ばいで推移していましたが、森田市政になると増加を続け、平成最後の年度には、初めて三百億円を超えました。

## ◇【巻末資料④】財政力

財政力指数は、財源である地方税等をどのくらい確保できているかを示す指標です。財政力指数が「一」を下回る地方自治体には、普通交付税が交付されます。

東松山市は、平成最後の年度では埼玉県内四〇市中一七位で、例年中位に位置し続けています。

経常収支比率は、経常的に収入される財源に対して、経常的に支出されるお金の割合を表し、この数値が高いほど自由に使えるお金が少ないことを表します。

平成元年度は六三．二パーセントでしたが、平成最後の年度は九六．四パーセントとなっています。経常収支比率が九五パーセントを超えると国の調査対象となると言われています。東松山市は、平成最後の年度に初めて九五パーセントを超え、埼玉県内四〇市中三一位となりました。

経常収支比率が高まる要因として、病院等に係る繰出金が多いこと、指定管理制度による施設管理委託費が多いこと、商工・民生関係への補助交付金が多いこと、そして、新規施策に伴う新たな経常経費の増加等が挙げられます。

## ◇【巻末資料⑤⑥】区分別歳入・歳出状況

歳入の内訳割合は、平成元年に六割近くを占めていた市税が約四割に落ち込み、国や県からの交付税や支出金の占める割合が増加しました。これは、徐々に国や県への依存度が高まっていることを表しています。

歳出の内訳割合は、人件費が約一五%と微減していますが、これは、再任用職員や任期付職員の増加が主な要因と考えられます。また、物件費、補助費が増加し、扶助費は四倍強に上昇し支出全体の四分の一を占めています。

一方、普通建設事業費は全体の四割近くを占めていましたが一割程に激減しました。道路や施設等の都市インフラの整備、ハード事業に予算を使う時代から、ソフト事業、特に、子育てや教育、生活保護や各種の福祉事業に係る経費が増加する時代へとシフトしていったことが歳出の変遷から読み取れます。

事業別の支出の解説は、紙面の都合上ここでは省略しますが、企業誘致と引き換えの企業誘致奨励金や既存企業へのがんばる企業応援金等には、税額と同額の約三億円が支出されています。

また、市内循環バスとデマンドタクシー事業費は、循環バス単独だった経費の二倍以上の一億円を超える支出が計上され、財政を逼迫させる要因の一つとなっています。

更に、指定管理制度による業務の指定管理料は、通常の業務委託料に比べ高額になっています。

## ◇【巻末資料⑦⑧⑨】選挙投票率

選挙における投票率は、年々低下しています。政治的な関心の高まりや投票行動への啓発により、投票率が向上する傾向にありますので、今後も粘り強く投票の重要性を訴えていくことが求められます。

二〇一六（平成二十八）年に選挙権年齢が十八歳以上に引き上げられましたので、今後は、若者の投票行動も分析しながら、取り組んでいくことが求められそうです。

また、教育現場における民主主義教育も重要です。

投票行動が、自分たちの生活を良くも悪くもするということを小・中学生のうちに教育していくことが、選挙において投票率の向上につながります。

著者紹介

西澤　誠（にしざわ　まこと）

1960年9月：埼玉県東松山市生まれ。
私立松山幼稚園、東松山市立松山第一小学校、松山中学校、埼玉県立松山高校を経る。
1983年3月：専修大学法学部法律学科卒業
1983年4月：埼玉県東松山市役所へ入庁
在職中は、戸籍、住民基本台帳、医療事務、広報・広聴、企画、行政改革、市町村合併、国民体育大会、文書、法規、情報公開、個人情報保護担当を経て、人事課副主幹、市民病院事務部医事課副主幹、平野市民活動センター副所長、生活環境課長、廃棄物対策課長、会計管理者へ奉職
2021年3月：埼玉県東松山市役所を退職

# 平成の東松山市史

～三人の市長の下で過ごした職員の記憶と記録～

2021年4月1日　初版第一刷発行
著　者　西澤　誠
発行者　山本正史
印　刷　わかば企画
発行所　まつやま書房
〒355－0017　埼玉県東松山市松葉町3－2－5
Tel.0493－22－4162　Fax.0493－22－4460
郵便振替　00190－3－70394
URL:http://www.matsuyama－syobou.com/



ISBN 978-4-89623-151-9 C0095